文春文庫

紫蘭の花嫁

乃南アサ

文藝春秋

紫蘭の花嫁

プロローグ*1*

十月十四日　午後二時三十分

柱時計が小さな音で一つ鳴った。

窓の大きなこの部屋はビルの二階にあって、室内には天井に埋めこまれたスピーカーから常に柔らかいピアノの曲が流れていた。時計の音は癇《かん》に触らない程度の、西洋風の鐘の音にも似ていて、注意していなければ気がつかないほど自然に、穏やかに室内の空気に溶けこんで、再びおとなしくなった。

大理石の小さな丸テーブルには小振りのコーヒー・カップが置かれ、立ち昇る湯気が秋の透明な陽射《ひざ》しに透けて見える。この部屋で動いているのは時計の振り子と、その湯気だけだった。

窓に背を向けて、背中に暖かい陽射しを受けながらサーモン・ピンクのカーペットを敷き詰めた室内を眺めるでもなく見回し、再びカップから昇る湯気を追いかけていた時、視界の隅、窓の外の世界を、黒っぽい小さな影が駆け抜けた気がした。クラクションの音が鋭く響いた。

つられて振り向けば、だが、窓の外にはいつもの都会の景色が広がっているばかりだ。クラクションがどの車から発せられたものか分からないが、車は普段どおりに絶え間なく流れている。人々は一人で、または複数で、追いつ抜かれつしながら、やはり忙しそうに思い思いの方向に歩いていく。その中を駆け抜けていく影の一つや二つ、あってもなくても同じことだった。ここから眺めていると、すべては雑踏に呑み込まれて、一人一人の人間の個性など分かるはずもない。

振り仰げば、色づくにはまだ少し早い街路樹が、秋の陽を散らしていた。

再び室内に目を戻す。

つい今し方、控え目な鐘の音を響かせた時計は、案内されて入ってきた扉の脇にしつらえられていて、金色の長い振り子が、この空間だけが違う時の流れ方をしているとでもいうように、とろり、とろりと左右に揺れている。

「遅うございますね」

地味なツイードのスーツを着た中年の女が愛想笑いを浮かべたまま、隣の部屋へつながるドアの前に立ち、ちらりと腕時計を見た。さっきからそこに立ってはいたのだが、彼は彼女の存在をまったく気にしていなかった。

その女の横では、さまざまな花嫁衣装を身につけたマネキン人形がショー・ケースの中で虚《うつ》ろな瞳を宙に向けている。また、その反対側の壁に沿っては、ブティックのようにハンガーにかかった服がずらりと並んでいた。普通のブティックと違うところは、それらのすべてがウェディング・ドレスだということだ。

「ちょっとお声をかけてみましょうか——」

女はこちらの返事も待たずに扉をノックした。

「お済みになりましたか？　いかがでございます？」

女は小首を傾《かし》げて、向こうの気配を窺《うかが》いながら、目だけをこちらに向け、やはり愛想笑いを浮かべる。

「お手伝い、いたしましょうか」

女の声は図書館のカウンターにでもいれば似合うと思われるような、高くも低くもない、印象に残らないものだった。

「着方が難しいということはございませんのですけれどね、恥ずかしがっていらっしゃるのかしら」

女はもう一度こちらを見、再びノックをした。

「細かいところは、私がお手伝いいたしますよ」

だが、何の返事も聞こえてこない。女はますます首を傾げた。

彼は何故《なぜ》だか窓の外に目をやった。さっき、視界の片隅をかすめて通った黒い影を、もう一度探した。

「サイズが合わなかったのかしら、それとも、ご気分でも悪くされたのかしら」

女は、もはや愛想笑いを引っ込めて、今度はかなりはっきりとドアを叩《たた》いた。

「どうかなさいました？――よろしゅうございますか、開けますよ」

女は、意を決したようにドアノブに手を伸ばすと、それまで辛抱強く待っていたのが嘘のように、何のためらいも見せずにドアを押し開いた。

スーツの後ろ姿は、片手をドアノブにかけたまま一瞬立ち止まり、それから一度室内に消えると、片腕に純白のウェディング・ドレスをかけて再び現われた。

「――いらっしゃらないわ」

彼は、一瞬脳の活動が停止したような感覚で、女の手元を眺めた。ドレスを引きずりそうに腕にかけたまま、ぽかんとしている女の、もう片方の手の平には、小さく光る指輪が乗っていた。

女の向こうには、隣の部屋から直接廊下に出られるドアが、ほんの数センチだけ開いているのが見えた。

「誰か、誰か！　花嫁さんがいなくなったわ！」

女の声は、さっきまでと打って変わってはっきりとしていた。彼は、女の手から指輪を戻されても、そのささやかな重みすら感じることが出来なかった。陽だまりでまどろんでいるような感覚が消えない。奇妙な夢でも見ているような気がする。けれど、雑踏に紛れてかき消えていった影だけは、はっきりと覚えていた。あれは、黒ではなく、グレーだったのだ。彼女のブレザーの色、そしてスカートの色だった。

彼の手の平では、外されたばかりの指輪が秋の陽を集めて、無言で輝いていた。

プロローグ2

十月十四日　午後三時二十五分

女は、万歳でもするように両手を頭の脇に上げた恰好で、目を見開いたまま動かなくなっていた。

——おめでたいのはお前自身だろうが。

その表情には苦悶《くもん》の色は読み取れず、むしろ未だに自分の身の上に起きたことが分かっていないとでもいう感じで、ただぽかんとしているようにさえ見えた。

けれど、再び瞬くことのない瞳は時間とともに潤いを失い、早ければあと一、二時間以内には、その角膜は混濁し始めるだろう。空調のおかげで空気も乾燥しているから、唇や瞼、さらに小陰唇なども早く乾燥し始めるに違いない。そして、女は自分の身に何が起こったのかも知らないままに、身体の隅々から死の匂いを放ち始める。

――そうなれば、ただのもの以下、ゴミにもならない。

どうせ、ここから一歩でも出てしまえば、顔さえ忘れるにちがいない女が冷えて固まろうと、腐ろうとどうでも良いことだ。

――結局、女なんて同じなんだ。

手早く荷物をまとめると、少しの間考えて、女をベッドの下に引きずり下ろした。足首を持って引きずったから、長い髪がすべて逆立って、表情を失っているはずの女が一瞬怒りの形相を浮かべたように見える。ごとん、と鈍い音をたてて、女はもはや活動を停止している脳を守っている頭蓋骨を安手のカーペットの床に打ちつけた。それでも表情一つ変えずに天井ばかり見上げているから、今度は力の抜けている片腕を持って、寝返りを打たせる。ぼさぼさになった髪が散らばる背中には、ビキニの水着の跡がくっきりと残っている。かかとには、靴ずれでも起こしたらしく、バンド・エイドが貼られていた。

――何が『いろいろ行ったけど、ハワイが一番ね』なんだ。『靴はどこそこに決めてるの』とも言ってたよな。頭はからっぽのくせしやがって、遊んで飾ることだけには夢中なんだ。だから、罰が当たったのさ。

ようやく一つ深呼吸をすると、おそまつな応接セットに腰をおろし、煙草を取り出す。

あられもない姿で横たわっている女を眺めながら吸う煙草は、一つの儀式のしめくくりのようなものだった。軽く髪に手をやり、ムースでセットした髪が乱れていないことを確認する。

ムースは、実に便利だった。何しろこの場に髪の毛が抜け落ちている心配がまずなくなるのだ。ゆっくりと味わった煙草を灰皿に押しつけると、もう一度室内を見回し、それからおもむろに女を跨《また》いで出口に向かう。手袋をはめているところを人に見られてはまずいと思うから、ドアの前で外し、代わりにハンカチを取り出して、ドアノブを包むようにして握る。

もう一度最後に振り返る。

こうして出口に向かう時、ふと振り向くと、女が蘇《よみがえ》って自分を見つめているのではないか、どこへ行くつもりなのだと声をかけられるのではないかと思う。けれど、女は俯《うつぶ》せになったまま、心持ち首を曲げて、片手を助けを求めるかのようにこちらに差し出しているだけだった。

——安っぽい運命の出会いなんか信じる奴が馬鹿なんだ。

白いコートの裾を翻《ひるがえ》し、室内よりは幾分温度の低い廊下に滑り出る。力を入れて引かなくても、オートロックのドアは音もなく閉まった。試しにハンカチの上からドアノブを捻《ひね》ってみたが、もはやぴくりとも動かない。

——まあ、運命と言えば、これ以上の運命もないけどな。

人気《ひとけ》のないホテルの廊下を歩きながら、軽く首を左右に振る。意外に肩が凝っているのが感じられた。まだ四時にもならないが、陽暮れは日増しに早くなっている。外に出れば、東の空から夕闇が忍び寄ってきていることだろう。

できることならば、今夜は、ぐっすりと眠りたいところだと思った。

1

十一月二十五日　午前九時三十分

冷たい水を勢いよく流し、手荒れが気になる季節になったなどと感じながら、三田村《みたむら》夏季《なつき》は市場から届いたままの箱詰めの切り花を次々と開いていた。

「バラはピンクじゃなくて、赤って言ったんじゃなかったかしら」

「いいんじゃない？　伝票でチェックしてあるはずなんだから」

箱の一つ一つを開きながら、夏季は背後にいる同僚とそんな会話を交わしていた。花束やブーケを作るための台の上にしつらえられている小型のテレビからは、朝の番組が小さな声で何かの議論に花を咲かせている。

夏季は仕入れにまではタッチしていないから、ただ届けられた花をケースに移すだけのことだったが、それでもピンクのバラはまだだいぶ残っているのにと思うと、少し不満が残る。

「赤がなければ、ピンクを買うでしょう」

それもそうだ。それ以上にここであれこれと考えるのはよそうと思い直し、夏季は同僚の声に簡単に返事をして、次の箱に取り掛かる。蓋《ふた》を開けると、今度は黄色いフリージアで、早くも春の香りが辺りに広がった。

「そうそう、昨日ね」

夏季がフリージアの香りを楽しんでいると、同僚が背後から声をかけてきた。

「三田村さんが帰った後、男の人が来たのよ」

「男の人？」

円筒形の大きなガラスの花瓶にフリージアを活《い》けながら、夏季は振り返って同僚を見た。

「絵美ちゃん」という名の彼女は、二十三歳ということだから、夏季より五歳も年下なのだが、職場での先輩ということもあって、いつでもざっくばらんな話し方をする。

「急にぼそっと入ってきてさ、『こちらに、三田村夏季さんはいますか』って。あれ、誰？」

「誰って――どんな人だった？」

　夏季は、手だけは休めずに、けれど、暗い予感が広がっていくのをどうすることもできないまま、努めて平静に絵美ちゃんを見た。彼女は「そうだなあ」と言いながら少し考える顔をして、それから微かに眉をひそめて見せる。

「悪いけど、ちょっと陰気臭いかなっていう感じの人。背が高くてね、顎《あご》が四角くて、ぼそぼそした話し方の——心当たり、ある？」

「さあ——そんな人、知り合いにいないけど」

　夏季は微かに唾《つば》を飲み込みながら、首を傾げて見せた。心の中にはどんどんと暗い雲が広がっていく。

「でも、向こうは三田村さんのこと、知ってるみたいだったわよ」

　絵美ちゃんは、にきびの跡の残る頬《ほお》を膨らませて見せて、不思議そうに丸い瞳を大きく見開いた。

「——それで、私に何の用事だって、言ってたの？」

「別に、聞かなかった。『本日はもう帰りました』って言ったら、名前を聞く前に『そうですか』って、さっさと行っちゃったのよね」

　夏季は、昨日が早番だったことを心の底から感謝しながら、うつむきがちに仕事を進めた。心臓を微かに摑《つか》まれているような気分になっている。自分の意思とは無関係に、誰かにぎゅっと握られて、そのまま呼吸が止まりそうな気分だった。

「ねえ、本当に心当たり、ないの？」

「本当に、知らないわ。今度来たら、人違いじゃないかって、言ってくれない？」

「直接言えばいいじゃない」

今度は白いフリージアを取り出していた夏季は、ため息をついて一瞬仕事の手を止めた。こうしていても、不意に背後から肩を叩かれそうな、いや、心臓を摑まれそうな気がして仕方がないのだ。何度深呼吸しても、すぐに息苦しくなりそうだ。

「その人、また来るって言ってた？」

「どうだったかなあ。言ってたと思うわよ。直接相手してたのは店長だから、私はよく聞いてなかったの」

夏季は、自分の動揺に気づかないらしい絵美ちゃんを横目で見、深々と息を吐き出した。落ち着こう、とにかくまだ見つかってはいないのだ。何度となく自分に言い聞かせながら、急に香りもなにも分からなくなったフリージアを取り出す。

——とうとう見つかってしまった。

「ねえ、全然知らない人が名指しで来るはず、ないと思わない？　それとも、三田村さんは忘れちゃってるけど、向こうははっきりと覚えてる、とか」

「どうして？」

「たとえばね、どこかで飲んでて、隣に座ったとか。三田村さんは酔っぱらってて、適当にここを教えちゃっただけなんだけど、相手はその気になっちゃって、本当に訪ねてきたとか」

「――まさか」

「そうだよねえ。三田村さん、そんなタイプじゃないもんねえ」

絵美ちゃんは、まったく屈託のない様子でころころと笑っている。夏季は無理に頬を引き攣《ひ》《つ》らせながら、まだ心臓が縮こまったままだった。

――見つかっては駄目、絶対に見つかっては駄目。

今、こうしている間にも、彼がどこかから自分を窺っているかもしれないと思うと、すぐにでも走って逃げ出したい気分にかられる。

――落ち着こう。彼は昼間はやっては来ないはず。そう、何もかもが台無しになる前に逃げるのよ。

働き始めて、まだ一カ月とたっていない職場だった。ようやく慣れて、生活のリズムが生まれたところだった。けれど、そんなものに未練を抱いている余裕はない。

「あ、これ、やっぱり殺人だったんだ」

急に絵美ちゃんが大きな声を出したから、夏季の心臓はそれだけでもきゅん、と縮み上がった。絵美ちゃんの視線を追うと、作業台の上のテレビに注がれている。

「最初から、そうじゃないかと思ってたんだ、私。それにしても怖いよねえ。連続殺人なんてさ」

絵美ちゃんは仕事の手を休めてテレビを見上げている。そこには制服姿の警察官が映っていた。昨日の晩もニュースで流していたのと同じ画面だった。

「――今回の事件は、殺人事件としては捜査の難航が予想される、きわめて特殊な事件であります」

髪をきっちりと分けた、三十代後半に見える男は、いかにも警察の幹部らしい堅い表情で、淡々と薄い唇を動かしている。その表情は難事件に向かうという厳しい雰囲気よりも、むしろ静かなもので、黒くまっすぐな眉と鼻梁《びりよう》が狭く高い鼻が印象的だった。

「日本の警察は優秀だもの。絶対に捕まるよね」

絵美ちゃんが感想を洩《も》らしている間に画面は変わり、これまでに被害に遭《あ》った女性たちの、多少ピントのぼけた顔写真が映し出された。夏季はぼんやりと、その顔写真を眺めていた。

「たまぁに、こういうヤツが出るねえ。何人も殺してさぁ、気味の悪い」

今夜は、早く帰らなければならない。そして、明日以降のことを考えなければ。

「でも、私は平気だな。毎日ここまで通ってきてたって、ホテルに泊まったことはないんだから。犯人は必ずホテルで殺してるんだものね」

とっくにコマーシャルに変わってしまっているテレビを見上げながら、夏季はうわの空で絵美ちゃんの話を聞いていた。

2

十一月二十四日　午後八時三十分

県警本部の小田垣《おだがき》刑事部長は、その日新たに設置された「シティ・ホテル連続婦女暴行殺人事件特別捜査本部」の本部長として記者会見にのぞんでいた。

「変死事件から殺人事件に切り換えた理由は、何なんです」

「殺人事件としての捜査に切り換えるのが、遅すぎたとは思いませんか」

捜査本部の設置されている西警察署には多数の報道陣が集まり、小田垣はまばゆい照明に階級章を光らせながら、報道陣からの質問を受けていた。普段は広報を担当している課長が、小田垣の隣ではげ頭に汗の粒を光らせている。微妙な事件でもあることから、彼は小田垣の言いつけを守って、ひたすら沈黙を守っていた。説明はすべて小田垣本人がすることになっている。

「三人もの被害者が出てからの捜査本部の設置というのは、警察側の怠慢だという声がありますが」

「犯人の手がかりはまったく摑めていないんでしょう？」

「今後も被害者が出る可能性はどうですか」

勝手なものだ、と小田垣は内心で苦々しく思いながら、記者団からの質問を黙って聞いていた。

実際、一人目の被害者が出た時には、記者連中は、フリーターの娘がホテルで変死体で発見されたことを歯牙《しが》にもかけなかったのだ。

十八歳のフリー・アルバイターは、全裸で発見されたということ以外、特に変わったところがなかった。解剖の所見でも心不全と判断された。現場からは、被害者が性交中、または性交の直後に死亡したことを裏付けるだけの材料があったものの、若く、気ままに暮らしている娘が急死し、相手の男は気が動転してそのまま逃げ出したのではないかというのが、大方の見方だった。被害者が若い娘であるということ以外は、非常に地味な事件だったから、記者連中もそれほど熱心に取材に動くことはなかったのだ。

「連続殺人事件と断定するに至った根拠は、どこにあるんですか」

「被害者がそれぞれ無関係な人たちだったということは、若い女性ばかりを狙った、ある種の無差別殺人と見てもいいんですか」

「警察は、どんな対策を練るつもりなんです」

ほとんど同時期に横須賀では米軍兵を巻き込んだ派手な暴力事件があり、川崎ではフィリピン人ダンサーが殺されるという事件が起きていた。それらの事件に関して、新聞も大きな紙面を割いて扱っていたのだが、こちらの事件に関しては、どの社の新聞も十数行の記事にとどまっていたのだ。

「被害者の女性が三人とも心不全で死亡しているという点が不審なわけですよね」

「毒殺の可能性は、どうなんです」

二人目の被害者は、二十六歳の電話局勤務の女性だった。離婚歴があり、日頃から派手な交遊関係があったらしいことから、職場などを聞き込んでみても、周囲の反応は意外に冷ややかなものだった。

そして三人目の被害者は二十四歳のOLだった。海外旅行と買い物が趣味だったというOLは、クレジット・カードによる負債が三百万を超えていたという以外は、取り立てて変わった部分はなかった。

一人一人について考えてみた場合、彼女たちには痴情のもつれによる怨恨なり、借金を苦にしての自殺なり、それなりに死に至らなければならなかった理由が見あたらないわけではなかった。だが、三人は全員が「心不全」と判断される状態で、ホテルで全裸で死亡していた。

　小田垣は、半ば目を閉じたまま、報道陣からの質問が出揃うのを待っていた。彼らの質問は、一つのマニュアルに沿って行なわれているものだ。何度かこういう経験をしていれば、どんな質問が飛び出すかはだいたい分かっている。第一、事件について、情報を握っているのは警察当局なのだから、彼らがどんなに騒いだとしても、小田垣が口を開かなければ、彼らはやがてマニュアルに出ている質問も尽きて黙らざるをえない。

「この分だと迷宮入りの可能性も考えられるという話ですが」

　どこからかそんな声が聞こえたところで、小田垣はようやく目を開いた。ライトに照らされているから、自分に質問を投げかけてくる記者連中の顔は、今一つはっきりと見えない。それにライトの熱がすごい。だが、小田垣は額に汗一つ浮かべず、ゆっくりと自分を取り巻いている連中を見回してから、一つ深呼吸をした。その表情には苛立ちも焦燥も浮かんではいないはずだ。小田垣は、常に平常心を保ち、一定の表情でいることを信条としている。微かにざわめいていた取材陣が一様に静かになった。何を言うわけでもないのに、隣の課長が小さく咳払《せきばら》いをした。

「今回の事件は、殺人事件の中でも、ある意味では特殊な事件と言えるかと思います」

　小田垣は、ゆっくりと口を開いた。周囲の熱い空気が一瞬のうちに張りつめるのが分かる。こういう雰囲気が小田垣は好きだった。

姿勢を崩さず、顔も動かさず、目だけで周囲を見回してから、小田垣は改めて一点を見つめた。

「本日、神奈川県警察本部は、ここ西警察署に『シティ・ホテル連続婦女暴行殺人事件』の特別捜査本部を設置しました。これは、先月から県内——これは、二件が横浜市内、残る一件が川崎市内ということですが——で起きている、女性の変死事件を連続殺人事件として切り換えるということであります。今回の事件は、殺人事件としては、捜査の難航が予想される、きわめて特殊な事件であります。何が特殊かということをご説明すれば、警察が、この事件を変死事件と婦女暴行殺人事件との両方から捜査していた理由、さらに今回、捜査本部を設置して連続婦女暴行殺人事件としての捜査に切り換えた理由をご理解いただけるかと思います」

背後には、回転式の黒板が用意されている。けれど、そこには三人の被害者の年齢、発見された日時、場所、死因のみが書かれているにすぎない。

「当初、この事件を変死事件と殺人の両面から捜査していたのには、ご存じのとおりの理由があります。つまり、明確に殺人であると裏づけるだけの手がかりが、ほとんどまったくと言っていいほど残されていない、という点です」

折り畳み式の長方形のテーブルを挟んで、小田垣のすぐ目の前にいる記者が、紙の上にペンを走らせる音が微かに聞こえる。

「最初の被害者が出たのは、先月三日。そして、二番目の被害者が同、十四日。さらに昨日、二十三日に三人目の被害者が発見されたわけですが、三人の被害者は、ともに急性心不全による死亡という検屍《けんし》結果しか得られていないのです。ですが、昨日、三人目の被害者が出るにあたり、これほど短期間に、若い女性が相次いで急性心不全で変死するということは不自然である、さらに、三人ともにシティ・ホテルで、しかも全裸で死亡しており、暴行を受けたとも考えられる周囲の状況から、連続殺人事件ではないかとの見解が固まりました。つまり、それほどに今回の事件は困難を極める事件と言うことができるかと思います」

小田垣は、集まっている記者連中をゆっくりと見回しながら言葉を続けた。

「三人の被害者には、今のところ相互関係はないと思われますが、いずれも普通のシティ・ホテルに自分で——三人ともが偽名を使ってはおりますが、チェック・インしていることから、同宿者がいたかどうか、はっきりと分かっておりません。さらに、全員が外傷を負っておりません。薬物等による中毒の可能性については、現在検査中でありますが、直接の死因は先ほどもお話ししましたとおり、急性心不全ということであります。唯一、分かっていることは、いずれの被害者の方にも、死亡の直前に性交渉の痕跡が見られるということだけです」

小田垣はここで口をつぐんだ。これ以上の情報を提供するつもりはない。記者連中にうろつかれては、こちらの捜査の足並みが乱れる可能性がある。

現場に残された手がかりとしては、精液、体毛、煙草の吸い殻が検出された程度で、それらから彼女たちがいずれも血液型B型の同一人物と思われる相手と性交渉を持ったことが分かっている。その男性が、この事件の鍵《かぎ》を握っていることだけは間違いがなかった。

そのほかにはホテルの床から検出された、犯人の靴の底に付着していたと思われる土も特に変わりばえのしないものだったし、あとは糸くず程度しか見つかっていない。被害者の持ち物からも、相手を特定できるようなものは何も発見されておらず、財布や免許証、定期入れなどはそのままになってはいるものの、犯人の手がかりとなるものだけは抜き取られている可能性が高い。

これだけの手がかりでは、他殺と断定するには弱いのだが、唯一、三人の被害者にはいずれも注射針による皮下出血の痕《あと》が認められた。つまり、現在のところ薬物反応は出ていないものの、何かを注射された形跡はあるということだ。

「警察当局としましては、二人連れでホテルに泊まったアベックのうち、その女性の方が急に発作を起こして倒れてしまい、相手の男性が何らかの理由によって、現場から逃げ出した可能性もあると考えておりましたが、いずれの被害者にも、そのような男性の存在が確認できなかったことと、さらに今回、三人目の被害者が出るにあたり、偶発的な連続変死事件という見解を捨て、きわめて巧妙な手段による連続殺人事件としての捜査一本に絞ることにしたわけです」

「皆が皆、何かに驚いて心不全を起こした、なんて、素人だって考えられないよな」

記者の一人が軽い口調で言い、その場の空気が微かに動いた。だが、小田垣は眉一つ動かさず、まっすぐに声のする方を見た。

「死因、さらに犯行の手口については捜査段階にありますので、ここで申し上げるわけにはいきません。皆さんは捜査妨害にならないように留意され、次回の警察の発表をお待ちいただきたいと思います」

軽く頭を下げて立ち上がると、背中からさらに質問が浴びせかけられる。

「次の発表って、いつなんです」

「犯人の手がかりは摑めてるんですか」

「覚醒剤と関係がありますか」

しかし、小田垣はそのまま足早に記者会見に使っていた会議室を出た。背後から課長が汗を拭き拭きついてくる。

「駄目だよ、相手があの人じゃ」

記者会見場を後にしようとした時、最後に、そんな声が聞こえた。

小田垣の名前は、県内の警察関係者はおろか、事件記者の間でも知れ渡っていた。それは、小田垣自身もよく認識している。

頭脳明晰、冷静沈着、泰然自若と、人々は小田垣の前ではそんなふうに評するが、一旦、陰に回れば、出世欲のかたまり、冷酷無比、計算高い、ナイフのような男などと言っている。小田垣自身は、どう評されようと関係ないし、とりあえず与えられた職務を百パーセント完全に遂行するだけのことだと考えている。

小田垣が神奈川県警に配属されてから、今年で三年になる。これまでに扱った事件で解決できなかったものはない。今回の事件は、これまでと少し毛色が異なる感じはするが、結局のところは時間の問題で解決されるだろう。

「何もさあ、捜査本部長様がじきじきに来ることもないのにな」

「あの人は、自分で動かなけりゃ気が済まないんだろうさ」

「普通の本部長みたいに電話だけで済ませてくれりゃいいのに」

「やりにくいよなあ、まったく」

「でも、これで早期解決できなかったら、それこそ奴《やっこ》さんの出世にひびくぜ」

「だから、きっと余計にあれこれ口うるさく言うんじゃないかね」

「面倒だな、そりゃ」

「まあ、お手並み拝見ってとこだ」

手洗いに入りかけると、中からそんな話し声が聞こえてきた。小田垣はためらいもせずに手洗いに入った。その瞬間、話し声がぴたりと止《や》む。

「太田君」

そそくさと立ち去ろうとする二人の刑事のうちの一人を呼ぶと、四十代の半ばくらいと思われる小柄な男が振り返った。

「すぐに捜査会議を開く。安田課長に言って、即刻全員を集めてくれ」

小田垣は太田の顔も見ずに言った。「はい」という返事がして、人の足音が遠ざかった。

それでは、お手並みを披露するとしよう。

小田垣はゆっくりと用を足すと、きちんとプレスされたハンカチを取り出して手を洗った。

3

女なんて、皆おんなじだ。
最初に、あの女が息絶えたと分かったとき、そう思った。
皆、おんなじだ。

4

十一月三十日　午後零時十分

昼食のパンを買いに行き、商店街を歩いている時に、夏季は一瞬心臓が凍りつきそうになった。

ほんの数メートル先の不動産屋から出てきた男が目に入ったのだ。長身の背を屈《かが》め気味にして、男は夏季に背を向けたまま、立ち止まって何かしている。

——間違いない。

夏季はとっさにきびすを返すと、脇の路地に逃げこんだ。

心臓が早鐘のように打っている。

——彼だわ。

あまりの緊張に脳貧血でも起こしそうな気分のまま、少しの間路地にひそんでいた。しばらくして、そっと顔をのぞかせてみると、男の姿はもうなくなっていた。それでもすぐに店に戻る勇気が出なくて、それからしばらくの間、夏季は人混みに紛れてあちこちを歩いた。気持ちを鎮めなければいけないと、何度となく自分に言い聞かせ、深呼吸を繰り返した。

とにかく、店を見つけられてしまったわけではないのだ。

三十分程も歩き続けて、ようやく店に戻ると、裏口のところに赤いビニールのエプロンをしたままの奥さんが立っていた。夏季を見つけると、大きく口を開けて片手をひらひらと振る。夏季は全身から汗がふき出す気分で、膝《ひざ》ががくがくと震えそうになりながら彼女に近づいた。

「おそかったじゃないの。三田村さんに会いたいっていう人が来てるわよ」

その言葉を聞いた途端、夏季の足はその場に釘づけになり、再び心臓が早鐘のように打ち始めた。

「あ――いるって、言ったんですか？」

「言ったわよ。いけなかったの？」

パンの入ったポリ袋をその場に置くと、夏季はころころと太った花屋の女房を見つめた。

「私、会いたくないんです。いないって、言っていただけないでしょうか」

声を押し殺してそう言うと、夏季は大きく生唾を飲み込んだ。

「そんなこと言ったって、今、うちの人が」

「お願いします。そうでないと、こちらにもご迷惑がかかるかもしれないんです」

夏季は怪訝《けげん》そうな表情の奥さんに背を向けると、再び裏口から外へ出ようとした。

「ち、ちょっと、どこ行くの」

「いないって、言って下さい。やめちゃったとか、何とか。少ししたら、戻って来ますから」

夏季は裏口から周囲を見回すと、小走りに駆け出した。今にも後ろから肩を掴まれそうな気がして、足がもつれそうだった。

——逃げなきゃ、とにかく逃げなきゃ。

あてもなく歩き回り、店に戻ったのは、もう二時過ぎだった。そっと裏口から入って必死で耳をすませてみたが、自分の鼓動ばかり大きく響いて、店からは何も聞こえてこない。物陰から客も誰もいないことを確認して、やっとの思いで店に出ると、店の主人が振り返った。

「どこに行ってたんだよ、まったく」

その声に奥さんも振り返って、二人揃ってよそよそしい顔で夏季を見る。

「とりあえず、帰ってもらったけどさ」

三十代後半の店の主人は、疑わしそうな顔つきで夏季を見据えた。

「あんた、何かやったの」

「——すみません」

夏季は小柄で色白の主人に小さく頭を下げた。

「まさか、借金取りか何かじゃないんだろうね。いやだぜ、面倒は」

主人はそう言うと、鼻から荒々しく息を吐いて自分の女房を横目で見るとぶつぶつと言いながら店の奥に消えた。今日の午前中まで、陽気で気さくな感じだった奥さんは、人が変わったように硬い表情で夏季を見ている。

「あの人、刑事か何かじゃないんでしょうねえ」

「いえ——」

「何があったか知らないけど、逃げ出すなんて普通じゃないわよ」

「——すみません」

「一度は『います』と答えたものを『いません』なんて言ったんだもの、おかしな顔してたわよ」

「——申し訳ありません」

夏季は情けない思いでうつむいていた。「時給から引かしてもらうからね」という主人の荒々しい声が奥から聞こえてくる。奥さんはため息をついて腕組みをし、店の柱に寄りかかって夏季をしげしげと眺めていた。

「何か、訳があるのかな、とは思ったわよ。フリーターっていう年でもないんだしね。でも、面倒事はうちだって困るのよね」

「ご迷惑は、おかけしませんから」

「当たり前だわよ。昨日や一昨日《おととい》来たばかりの人に迷惑かけられたんじゃ困るもの」

奥さんは鼻から大きく息を吐き出した。

「まあ、深くは聞かないけど、でも、どういう訳なのか、聞かしてもらう権利はあると思うわ」

「――すみません。あの」

「なあに」

「お給料を清算していただけないですか」

夏季は恐る恐る奥さんの顔を見た。奥さんは少しだけ驚いた顔になったが、やがてもう一度鼻から荒々しく息を吐き出すと「また求人広告を出さなきゃならないのね」と言いおいて奥に入って行った。夏季はただうつむいて奥さんと主人が何か話しているらしい声を聞いていた。

まだ心臓が高鳴っている。自分でも顔から血の気が引いているのが分かった。

一週間もたたないうちに再び見つかってしまうとは。

「恨まれてる、とか、なの？」

急に奥さんが顔を出して、さっきよりも幾分柔らかい声で話しかけてくる。夏季は、その声の優しさにつられて、つい顔を上げてしまった。

「事情によっては、家《うち》だってさ、考えてあげないこともないわよ。ただでさえ人手不足なんだし」

だが、その瞳の奥にちらちらと好奇心が揺れているのを認めて、夏季はそのまま再びうつむいてしまった。誰にも相談しないで、一人で行動しなければいけないと、繰り返し自分に言い聞かせてきたのだ。

「三田村さん、花の扱いに慣れてるんだし、お金のこととかじゃなかったら、家だって少しは相談にのってあげられると思うのよ」

「――ありがとうございます。でも、いいんです。やめさせて下さい」

夏季が言うと、奥さんはあからさまにがっかりした顔をして「そうお？」と言ったまま、また顔を引っ込めてしまった。

夏季はぼんやりと宙の一点を見つめていた。奥からは「自分勝手」「気まぐれ」などという言葉が聞こえてくる。

「どこで、何をやってきた女か分からないしな」

「しっ、聞こえるってば」

——どう思われても仕方がない。

ため息をつきながら、花束用のリボンを切っていると、主人が店に戻ってきた。

「そうそう。これを渡してくれってさ」

主人は、遅くなった昼食の最後のひと口をまだもぐもぐと噛《か》みながら、白い封筒を差し出した。夏季は封筒を受け取ると、少しの間ためらった後で、そっと封を切った。

【あきらめない】

その一言を読んだだけで、夏季は急いで手紙を破り捨てた。好奇心に満ちた表情の主人は、残念そうな顔になって夏季の動作を見ていた。

いっそのこと、まったく違う関係の職場につけば、こんな思いはしなくて済むようになるだろうか。そうすれば、もはやこの都会で夏季一人を探すなど、到底無理なことになるだろう。けれど、それは考えてはいけないことだった。第一、花を扱っていたかった。その気持ちさえ失ってしまったら、もう夏季にはすがるものがなくなってしまうような気がする。

「給料は一週間したら清算しとくからさ、その頃取りに来てよ。こっちにだって、都合ってもんがあるんだ」

再び不機嫌な顔になった主人にそう言われ、夏季は黙って帰り支度を始めた。

——私だって、諦《あきら》めない。諦めきれるものじゃない。

簡単に詫《わ》びを言うと、夏季は冷ややかな四つの目に弾き出されるように店を出た。どこから誰に見られているか分からない、今にも声をかけられそうだと思うと、走ったら良いのか、振り向いて辺りを見回せば良いのかも分からず、結局は全身を緊張させて、脇目もふらずに足早に駅に向かうしかなかった。

5

十二月十二日　午前十時四十分

小田垣は掃除の行き届いた長い廊下を歩いていた。病院関係者は皆、室内専用の靴を履いているから、靴音を響かせているのは小田垣だけだった。

「だからね、注意して下さいって、言ってるじゃないですか、もう」

ドアをノックしようとすると、中から張りのある女の声が聞こえる。

「だから、……、……」

その女の声に応《こた》えて誰かがぼそぼそと話しているのが分かるが、話の内容までは聞きとれない。

「だって、現実問題として、こんなにかかってるんですよ」

「……、……」

「さんざん、かけてたじゃないですか、もう。嫌み言われるのは私なんですからね」

「それは、……、……、……」

「はいはい、分かりました。分かりますけどね」

小田垣は一瞬躊躇《ちゆうちよ》して、それからドアをノックした。返事を待たずにドアを開けると、陽当たりの良い、清潔な雰囲気の部屋に似合わない化粧の濃い女が眼鏡ごしにこちらを見る。

「あ、いらっしゃいませ」

女が急に調子を変えて言ったから、女の傍《そば》でこちらに背を向けて、心持ちうなだれて立っていた白衣の男が振り返った。

「お取り込み中かな」

小田垣が言うと、男は羽織っただけの白衣を翻《ひるがえ》しながら慌てた顔で近づいてきた。

「いや。僕の部屋へ行きましょうか」

胸のポケットには乱暴に数本のペンが差し込まれて、白衣もところどころに薬品のしみがある。しわくちゃのワイシャツの襟元を、細い無地のネクタイで締めあげて、男は頭を搔《か》きながら「うるさくて、まいっちまう」と呟《つぶや》いた。

「何がうるさいんですか、もう。当然のことを言ってるだけじゃないですか。学者バカって言ったって、先生くらい世の中のことが分かっていない人も少ないんだから」

化粧の濃い事務員は、気色ばんだ様子でなおも早口にまくしたてる。

「いいですか、市外通話っていうのは、先生が思ってるよりも、ずっと電話代がかかるんですよ。普段は必要以上に話もしないくせに、どこに電話してるんだか知らないけど、よくも、まあ、あちこちそんなに話す相手がいらっしゃいますこと」

「だから、市外にはかけてないさ」

「へえっ！　市内通話だけで、これだけ電話かけまくってたんですか？　はは、じゃあ、私が多少私用電話したって、ぜーんぜん、分からないですよねっ」

男は、さもうるさそうに頭の横で手を振ると、口の中で「ああ、ああ」と言い、顔をしかめたまま事務室を出た。

横浜市内の大学病院の法医学研究室だった。男は渋沢という三十がらみの主任研究員で、警察の監察医も兼ねている。

「何をがみがみやられてたんです」

「みっともないところをお見せしました。どうも、口数が多いんで、困るんです」

小田垣は、ぱたぱたとサンダルの音をさせながら自分の研究室に向かって歩く渋沢の横顔を眺めた。苦々しい表情で、わずかに眉間に皺を寄せて歩く監察医や、そこの事務員などに、特に興味があるわけではなかった。ただ一応、話の接ぎ穂になればと思って聞いてみただけのことだ。

「ずいぶん横柄な口のききかたをする子ですね」

「ここでは、彼女の方が威張ってるんです。何しろ、彼女がいないとわれわれは事務的なことは何一つ分かりませんから」

渋沢は、もう一度苦々しい顔で頭をくしゃくしゃと掻く。

「このところの、うちの研究室の電話代がめっぽう高いから、それが僕の責任だろうってね」

「身に覚えがあるんですか」

廊下の向こうから小田垣も見知っている、法医学研究室でアルバイトをしている学生が歩いてくる。渋沢と小田垣を認めると、彼は心持ち緊張した表情で、それでも人なつこそうな笑顔を浮かべて会釈をした。

「そりゃあ、ないとは言いませんけど。でも、そんなにかかってるとは、なあ」

渋沢は学生に軽く手を振って挨拶《あいさつ》をすると、そのままつまらなそうな顔で両手を白衣のポケットに突っ込んでしまう。

「死体は扱えても、生きてる事務員にはかなわないっていうところですか」

「怖いんですよ、彼女は。本当なんですから」

渋沢は小田垣をちらりと見ると、口元を歪めて見せた。それが苦笑なのか、不快の表情なのか読み取れないような、不思議な表情だった。

「ところで、どうです。検査の方は」

研究室に着くと、小田垣は勧められて空いている椅子に腰を下ろしながら、改めて渋沢を見た。

「まだですね」

渋沢は、つまらなそうな顔のままで、ぼそりと答えた。

そんな簡単な一言を聞くためだけにわざわざ出向いたのではない。小田垣は、机の上で両手を組み合わせると、わずかに顎を前に出して渋沢をはっきりと見上げた。

「死因が特定できないと、捜査の方にも影響が出る。その辺りのことは、あなたもご存じだと思うんですがね。どうです、まだ毒物は特定できないんですか」

「僕だって、事件の重要性は認識しているし、捜査本部長がじきじきに来られるくらいだから、その意気込みも分かるんです。できる限りのことはやっていますが、まだです」

「それは——」

「物理的に無理だということです。人間も時間も不足している」

小田垣も無駄な話をしない方だったが、渋沢はそれ以上に余計な言葉を省く性格らしかった。小田垣が言い終わらないうちに、渋沢はにべもない答えをよこす。小田垣はちらりと、こんな男がどこにそれほど電話をしたのだろうかと思った。だが、そんなことは小田垣にも事件にも何の関係もない。

渋沢は少しの間天井を見上げて何か考えていたが、小田垣が動く気配を見せなかったので、やがて頭の中を整理するようにゆっくりと口を開いた。

「被害者からは、全員から非バルビツール酸系の催眠薬が検出されています。けれど、これは常用量レベルを超えるものではなく、中毒量レベルでも、ましてや致死量レベルにも至ってはいない。これは、経口投与されたものです。そして、その一方で、被害者にはいずれも注射痕が認められている。これは、注射した直後に急死した場合にみられる特徴です。限局性の皮下、筋肉内の出血といいます。つまり、犯人は被害者に催眠薬を飲ませて抵抗できないようにさせたあとで、何らかの薬物を注射したのではないかと考えられるわけです」

「それは分かっている。だから、その局所から注射された毒物は何だと聞いてるんです」

渋沢は黙って窓際に置かれている自分のデスクの方に回り込み、乱雑に散らばっている中から肩を綴《と》じられた紙の束を取り上げた。小田垣は少しの間、渋沢が何を言い出すのか待ったが、渋沢は、それきり口をつぐんだまま、難しい顔で書類を見ているばかりだった。

いた。

「そうですね」

少しの沈黙の後、ようやく顔をあげると、渋沢はただそれだけを言って、ため息をついた。

小田垣は、まだ数えるほどしか会ったことのない、自分よりも四、五歳は若いと思われる解剖医を眺めた。

超然としているというか、どこか世捨て人のような雰囲気をまとっている渋沢という男は、小田垣とはあまりにも違う世界の存在だった。

渋沢は、まったく彼のペースで仕事を進める。

彼は、小田垣の立場だって地位だって十分に承知しているはずなのに、決して小田垣におもねるような真似をしなかった。小田垣を恐れているふうもなかったし、小田垣の言動に神経を遣っているというところもない。彼はしごく落ち着き払った表情で、自分の職業に徹している。そして、その思考回路や専門的な知識量は小田垣が予測しえない結論を導き出す可能性が大きい。

「三人の遺体の検案の時からのことを順を追って考え直してみたんです。死斑《しはん》は紫赤《しせき》色《しょく》で、しかもかなりはっきりとしていました。例えば、催眠薬中毒の場合ですと、死斑は脂ぎった感じというか、汚ない暗いものになります。さらに、眼脂《めやに》が付着している場合があります。つまり、死体の状況から考えても、催眠薬による中毒死とは考えられない、ということです。それに、注射痕のことを説明しなければならない。それで、先程のような仮説が生まれたわけです」

「――――」

「はっきりとした死斑というのは、急死した場合に多く見られるんです。それから、色なんですが、たとえば一酸化炭素中毒死の場合は、鮮紅色になりますし、塩素酸塩、亜硝酸塩、芳香族アミンなどの中毒では暗褐色、硫化水素中毒による死亡の場合は緑褐色、窒息死では、暗い紫赤色になります。それから、有機リン剤中毒の場合には、瞳孔《どうこう》が縮小していたり、鼻や口から白い泡が出ている場合があります」

それまで言葉の少なかった渋沢が、専門的な分野のことになると途端に饒舌《じょうぜつ》になる。

小田垣は、これまでに関わってきたさまざまな事件の被害者の状況を素早く思い出しながら渋沢の説明を聞いた。同じ説明は、今後誰からも二度と受けたくない。

「溺死体の場合に見られる、あれでしょう」

「はい。これは、肺水腫が起きている証拠と考えられるわけですがね、一酸化炭素中毒、催眠薬中毒の場合にも、しばしば見られます。ほかにも、たとえば青酸系の毒物による中毒死の場合には匂いが残ります」

「――――」

これだけの説明の果てに、渋沢が何を言おうとしているのか、小田垣にはまだ予測がつかなかった。

「つまりは、薬物による中毒死というのは、検案の段階から、案外死因がはっきりとしやすいということなんです。ところが、今回の死体の場合は、そういう所見が何も見当たらなかった。つまり、局所注射による中毒死ではないか、という予測だけで進んでいるわけです」

渋沢は、ここで一つ大きく深呼吸をして小田垣を見た。まるで、教師が学生を見て「ここまでは理解できたか」と確かめるような視線だった。

「では、局所注射による中毒、またはショック死ということで、考えられる薬物をあげてみるとしますね」

渋沢は、自分の頭の中でこれから言うことを一旦整理するかのようにしばらくの間沈黙を守り、それからおもむろに口を開いた。

「まず考えられるのが、局所麻酔薬。実際の毒性は低いものですから、可能性としては考えにくいんですが、薬物ショックを起こすことはある。これは投与量も全身分布量も少ないですから、局所以外からの検出は困難なことが多いんですが」

「で、検出されたんですか」

小田垣の質問に渋沢は「いいや」と言いながら首を振った。

「第一、そんなに立て続けにショック死を起こすなんて考えにくいことです。殺人を犯すとなったら、もう少し確実なものを選ぶに決まっていますよ」

小田垣は辛抱強く渋沢の言葉を聞いた。多少なりとも彼の知識を引き出し、自分の糧《かて》としてしまおうと考えていた。

「次に考えられるのが、アルカロイドですね。これは、植物体中に含まれるもので、たとえばキニーネとか麦角《ばっかく》とか、ストリキニーネ、それからトリカブトの塊根《かいこん》からとれるアコニチン、ベラドンナなどに含まれるアトロピン、ニコチン、カフェインなども、この仲間に入ります。さっきの、局所麻酔薬、それから催眠薬、精神安定薬、解熱沈痛薬などは、すべて難揮発性有機毒物という分類をされるんですが」

「死因として考えられるのは、どれなんです」

「そう急がないでください」

「急がないわけにはいかない。これは研究でも学生への講義でもなく、検査ですよ」

「――われわれも、精一杯やっているんです」

渋沢はそこで眼鏡の奥の目をしばたたいた。

「検査対象とする毒物が定まっていれば楽なんですがね。今回の場合は、毒物が関与している『かもしれない』という状態で検査しなければならない。こういう場合は、多少の時間がかかっても仕方がないんです。労力のわりに効果が期待できない。とりあえずは、多く用いられる毒物から、自分たちで目星をつけなければならないような部分まであります」

「――それほど、特殊なものの可能性がある、ということですか。つまり、滅多《めった》に使われないような薬品なり毒物である、という」

もしもそうならば、毒物が特定できた段階で解決の大きな糸口を摑んだことになる。特殊なものであればあるほど、入手経路などはたどりやすくなるものだ。

「――そうとばかりは言い切れませんがね」

渋沢という男の評価はまずまずで、警察当局にも協力的であるし、有能な監察医だということだったが、こちらがメンツをかけて解決を急いでいる事件の鍵を握る検査に、これほどに時間をかける男は、あまり現場向きとは思えない。自分が捜査本部長となったからには、行動の怠慢は許されないと言おうとした時、胸のポケットベルが鳴った。

捜査本部からの呼び出しだ。

「電話を拝借します」

立ち上がって電話の一つに近づいたとき、研究室の内線も鳴った。そして、小田垣が四人目の被害者が出たと報告を受けたのと、渋沢が助手に検案の用意を言いつけたのが同時だった。

「急ぎましょう。場所はお聞きになったでしょう」

小田垣が電話を切ると同時に、渋沢が待っていたように厳しい表情で言った。

6

十二月十二日　午後四時

新横浜駅に近いホテルで発見された遺体は、所持品からすぐに身元が確認された。吉森郁子という名の、三十二歳になる主婦だった。免許証から住所を確認したところ、タクシー運転手だという夫はすぐに現場に駆けつけることになった。

被害者の死亡推定時刻は、前日の午後四時から六時の間くらいとみられ、左腕に注射針によると思われる皮下出血の痕が見られる以外は、これといった外傷もないことから、一連の暴行殺人事件と同一の人物による犯行と断定された。

「年齢は、関係なしっていうことか」

「一人目の被害者は十八歳、二人目は二十六歳、三人目は二十四歳、そして今度は三十二歳っていうことになると、犯人はいったい何歳くらいの奴なんでしょう」

捜査本部に戻ると、刑事たちはため息をつきながら口を開いた。

「目撃者は、いたのか」

一足先に本部に戻っていた小田垣は、疲労の色の濃い安田捜査一課長を見た。

「いま、工藤君たちが聞き込みをしています」

叩き上げで現在の地位まで昇進してきた安田は、現場で培《つちか》った勘を生かし、常に部下を気遣いながら捜査を進める、見るからに親分肌といった感じの男だった。小田垣は、安田の能力を認める一方で、彼を煙たくも感じている。何しろ捜査に関しては「素人」と思われている小田垣と安田は意見がぶつかることが多い。小田垣は、安田から視線を外し、彼の斜め後ろにいた、須藤という老刑事を見た。

「君は、収穫はあったのか」

寒そうに肩をすくめている刑事に、小田垣は冷静な目を向けた。あと数年で定年を迎えるという話の須藤は、卑屈な笑みを浮かべて「ああ、いや」と答える。風邪気味らしく、やたらと喉《のど》の奥で痰《たん》がからんでいる音がぜろぜろと聞こえている。大方、若い連中に気遣われて戻ってきたのだろう。

「そうか。それでは君には被害者の周辺を洗ってもらおう」

腰痛がひどいのか、須藤刑事は片手でげんこつを作って腰を叩いていたが、小田垣の言葉に顔を歪め、自分を振り返っている安田を見た。だが、小田垣の前で沈黙を守っている安田の表情から何を読み取ったのか、須藤はわずかに眉を動かした後で、一つ深呼吸をした。

「埼玉、でしたね」

「水谷君と、すぐに行ってくれ。先に石井君と鈴木君が行ってる」

それまで口を真一文字に結んでいた安田が少し考える顔をしたあとで小田垣を見た。

「――二人行ってれば、十分なんじゃないんですか。ガイシャの周辺を洗ったって、そう手がかりは出てこないと思いますがね」

「とにかく行くんだ。おい、水谷君」

小田垣の言葉に、机に向かっていた水谷という若い刑事が、あからさまに不快な顔をした。

「――分かりました」

脱いだばかりの古ぼけたコートに手を伸ばし、老刑事はのろのろと本部を出て行く。その後を水谷が追っていった。

そろそろ解剖の結果が出るころだろう。またしても、急性心不全という結果だろうか。ほかに何かの手がかりが獲《え》られないものだろうか。

目撃者は、遺留品は、指紋は、死因は――動機は。

「小田垣部長」

こんなに手がかりの摑めない事件も珍しいと考えながら思わず顔をしかめそうになっていたとき、安田が口を開いた。

「お気持ちは分からないじゃないんですが」

「何の気持ちだね」

「ですから、解決を急いでらっしゃる気持ちです」

安田は、そこでちらと小田垣を見た。不敵な、いかにも腹に一物ありそうな目つき。現場の刑事たちは、皆同じような目つきをしている。こちらの寸分の動揺も見逃すまいとするような抜け目のない目。それは、特に都市部の刑事に顕著な目つきだった。

小田垣は、叩き上げの連中が自分を面白く思わないのも理解できたし、彼らとは仲間意識を持てないことも分かっていた。だからこそ、せめて摩擦だけは最小限に抑えて、互いの領分を侵さない程度のつき合いをしていくよりほかにないと思っている。それは分かっているが、彼らだけに捜査を任せて、自分は電話の前で手をこまねいている、というのは小田垣の性分には合わなかった。何よりも自分が指揮をとった以上、事件を早期解決に持ち込むことが大切だった。

「当たり前だ。これ以上被害者を増やすわけにいかないだろう」

「――だったら、捜査は我々に任せてもらえませんか」

「どういうことだね」

安田課長は、年齢こそはもう五十代にさしかかっているだろうが、背も高く、がっしりとした体格の、いかにも刑事魂を持っているという感じの男だった。だが、立場が違うとはいえ、髪に白いものが混ざってまで、まだ現場の匂いを振りまく安田に、小田垣は多少の哀れみに似た感覚さえ抱いた。

「ご自分の出世のために、捜査にあれこれと口を挟まれるのは困ります」

小田垣は、黙って安田を見上げた。

「不用な口の挟み方はしていない。現場のことは、君たちに任せているはずだ。だが、責任者である以上、捜査の指揮をとるのは当たり前のことだろう」

「見当違い、ということもありませんか」

「ない」

「そうでしょうか」

「とにかく、私のやり方に従ってもらう」

小田垣があくまでも冷静なままなのが、逆に安田を苛立たせたらしかった。四角い顔がみるみる赤くなっていく。

「君たちが私に非協力的なのは、構わない。最終的に責任を取るのは私なのだし、そうなれば面白いくらいに、君たちは考えているのかも知れないしな。だが、そんな低次元の考えで、犯人を野放しにしておくわけにはいかない。君たちがどう考えていようと、私からみれば、一種のひがみ根性としか受け取れない」

部下がいる時には努めて冷静になっている安田も、自分よりもはるかに年下の幹部と一対一で向かい合った時には、顔を赤くして、身体の両わきで拳《こぶし》を握りしめている。

「分かったら、検屍の結果を聞きに行ってくれ」

安田は、いまにも摑みかかりそうな顔のまま、きつく口元を引き締めて、乱暴に会釈すると靴音を立てて本部室を出ていった。

何と思われようと構わない。特に、これだけ捜査が進展を見せず、空気が沈滞気味の時には、誰かが悪者になってでも、捜査陣の気持ちを高揚させなければならない。そして、小田垣を除いては、そんな役回りになれる存在はいなかった。何しろ、安田は部下たちに慕われすぎている。チームワークも結構だが、それが馴れ馴れしい雰囲気を作り出すものであったら、小田垣はそれを断固として許さない。

もう少し、犯行が残虐を極めるような類《たぐ》いのものであれば、捜査陣は一様に犯人への憎悪をエネルギーとして動くことができる。だが、捜査本部は設置したものの、どこか頼りなく、殺人という確証も摑めないままのこんな事件では、人々の気持ちが一つにまとまることは難しかった。

精液、体毛を別とすれば、犯人の特徴を示すものとして残されているのは、常に犯行現場に残されている数本の煙草の吸い殻だけなのだ。

——だが、吸い殻程度で、どこまで捜査を続けることができるか、ということだ。

小田垣は深々とため息をつきながら、一人残された捜査本部の椅子に寄りかかった。

7

十二月十二日　午後十一時四十分

「まだ、大丈夫かな」

「あら、いらっしゃいませ。どうぞ、どうぞ」

扉を開けて顔だけをのぞかせると、馴染《なじ》みのママがいそいそと近づいてくる。ラメの入った黒のニット・スーツを店内の間接照明できらきらと輝かせながら、ママは小田垣の背後に回ってコートを脱がせにかかった。

商店街から外れた、静かな一角にある「バー・マリエ」は、マンションの一階に入っている店だった。

三十坪ほどの店は、店全体を下品にならない程度のアール・デコ調にまとめてあり、店の中央にゆったりとした空間をあけて、壁に沿って三つのボックス席が並び、あとは八人がけのカウンターがある。

「お忙しいんでしょう？」

「まあね」

小田垣は、されるままにコートを渡し、ゆっくりとカウンターに向かう。グラスを磨いていたバーテンダーの男が慇懃《いんぎん》に頭を下げてきた。

「いつもの」

奥から三つ目の椅子に腰掛け、バーテンダーが軽く頷《うなず》いている間に、ママもカウンターの内側に入って小田垣の前に立った。

「また、死体が出たんですってね。夜のニュースでやってましたけど」

「ちょっと待ってくれないか。一息入れたいから、寄ったんだ」

「あらあら、ごめんなさい」

四十を二、三歳は過ぎていると思われるママは、慌てて口をつぐむと、隣のバーテンダーからおしぼりとコースターを受け取って、綺麗にマニキュアを塗った手で小田垣の前に差し出した。やがて、繊細な輝きを放つクリスタルのグラスに満たされた、小田垣がいつも好んで注文するアルマニャックが差し出される。

小田垣は黙ってグラスに手を伸ばし、まずその香りを確かめると、一口目をゆっくりと口に含んだ。

検屍の結果を、小田垣は埼玉に向かう車の中で聞いた。やはり、急性心不全ということだった。小田垣が被害者の家に着いた時、周囲で聞き込みを続けていた刑事たちは一様に表情を強張《こわば》らせた。そこで、一通りの報告を受けた後、小田垣は他の現場にも足を延ばし、最後には四人目の被害者が発見されたホテルにも寄って来た。

今頃、刑事たちは本部で書類の作成に取りかかっているに違いない。そして彼らは、口々に小田垣への不満をぶつけあっていることだろう。だが、彼らが小田垣をどれほど悪く言おうと、とにかく事件が解決すれば、それで良い。

「ここは、あまりクリスマスらしく飾っていないんだな」

冷えていた身体が隅々から温まるにつれ、小田垣はゆったりと息をつき、店内を見回した。まだ木枯らしが吹く前から、巷《ちまた》にはクリスマスのデコレーションが見受けられるようになり、今や街中がクリスマス一色という感じになっている。それに比べると、この店は意外なくらいにすっきりとしていた。

「そうよ。クリスマスなんて無縁のお客様が多いんですもの」

ママは瞼《まぶた》が落ちくぼんだ目をわずかに細め、赤い唇を左右に引っ張った。

三年前、小田垣が神奈川県警に移ってきた当初から、月に三、四回程度の割合で通っている店だった。警察の関係者の来ない場所で、一人で落ち着きたいと思う時には格好の店といえた。バーテンダーやホステスの女の子は何度か入れ替わったが、ママと店の雰囲気はいつも変わらない。現在も女子大生のアルバイトを二人ほど使っているらしいが、どういう日程で働いているのか、彼女たちはいたりいなかったりした。

「いつもすいているね。これで、大丈夫なの」

「あら、ついさっきまで混んでましたの。ちょうど一段落ついたところに小田垣さんが見えたのよ」

小田垣は口元だけでわずかに笑って見せて、グラスに目を落とす。こんな会話を今までにも何度となく交わしたような気がする。それくらいに、この店はいつも混んでいなかった。だからこそ、小田垣はこの店が気に入っていた。カラオケなどもなかったから、帰宅する前に少しの間気持ちを静めるにはいい場所だった。

いつもポーカー・フェイスで無口なバーテンダーは、時折、抜け目のなさそうな瞳をちらりと動かすが、あとは黙々とグラスを磨いている。ママは、本当は事件のことを聞きたいのだろうが、最初にぴしゃりとやられたから、小田垣の方から口を開くのをじっと我慢して待つつもりらしかった。

小田垣は、カウンターに肘《ひじ》をつき、小さなボリュームで流れるジャズを聞くともなく聞きながら、慌ただしかった一日のことを改めて考えていた。

監察医の渋沢の話を聞けば、注射痕以外に痕跡の残らない毒殺は、想像していた以上に少ないのだということがよく分かる。いったい犯人は何を使っているのだろうか。どんな方法で、十八歳から三十二歳までの、互いに因果関係があるとも思えない女性たちをホテルにおびき出し、いとも簡単に殺害しているのだ。我々は何を見落としているのだろうか――。

他殺であることには間違いがない。第一、犯人は、さも自信ありげに、現場に煙草の吸い殻を残している。四人の被害者に共通なのは、体内に残留していた精液と――精液だと！――煙草の吸い殻だ。犯人の血液型をB型と示す手がかり。だが、B型の男など、いくらでもいるではないか。それに、煙草のフィルター部分に残されていた指紋でさえ、どれも完全な形ではなかったし、もちろん犯人は自分に前科がないことを承知のうえで吸い殻を残しているのにちがいない。指紋のかけらくらい検出されたとしても、絶対に自分のところへは捜査の手は伸びないと、奴はたかをくくっているのだ。

――何か、手がかりがあるはずだ。

小田垣は、今すぐにでも鞄に入っている書類を取り出したい気持ちと戦いながら、黙ってアルマニャックのグラスを傾けていた。一度、頭を真っ白な状態に戻さなければならない。何か、見落としていることがあるはずなのだ。そのためには、今焦って書類をひっくり返すよりも、頭を切り換える必要がある。

「あの」

ふいに背後で声がした。

振り向くと、腕にコートをかけた女が立っていた。

「いらっ――しゃいませ」

ママが不審な声を出す。

「あの――ここで、働かせてもらえないかしらと思って来た者なんですが」

どんな客が来ようと、小田垣にはそれほどの興味もなかったから、すぐにカウンターに向き直っていたのだが、その言葉に神経がぴくりと動いた。

「あら、なんだ。裏口から来ないから『いらっしゃいませ』なんて言っちゃった」

相手が客ではないことが分かったママは、急にぞんざいな口調になる。小田垣はうつむきがちにグラスをのぞき込んだまま、二人の女のやり取りを聞くことにした。視界の片隅に、斜め後ろに立っている女の服が入ってくる。照明の加減で、色は多少違っているかもしれないが、とにかく淡い色彩の全体にカトレアの花がプリントされているワンピースだった。

「うち、求人はしてないのよ」

「仕事を探してるんです。ここで、働かせてもらえないですか」

女はつぶやくような低い声で、ゆっくりと話す。さっきちらりと見ただけだったが、髪を耳の下で短く切りそろえた、顎の尖《とが》った女だった。

「お願いです。人から聞いたの、ここのお店はママさんも親切だし、客層もいいから、ぜひとも寄ってみろって」

「あら、誰からそんな話を聞いたの」

「——誰って、ちょっとした知り合いよ」

ママは細巻きの煙草を取り出し、金のライターをぱちん、と鳴らしながら火をつける。いくら若く見せていても、手の表情ばかりは隠せないらしいと思いながら、小田垣はママの指輪の光る筋ばった指と静脈の浮く手の甲を眺めていた。

「褒《ほ》めていただけたのは嬉しいんだけど、本当に今のところは間に合ってるのよ。悪いけど、ほかをあたってみてくれない？」

ふう、と煙を吐き出しながら、ママは表情一つ変えずに女を見ている。

「お願いします。ここで雇ってもらえなかったら、私、年が越せないわ」

「大げさねえ。店ならほかにもたくさんあるじゃないの」

「もう、散々歩き回ったあとなんです、昨日も一昨日も、ずっと歩き回ったのよ」

女は、さっきまでの落ち着いた口調に今度は哀感を込めて、語尾を微かに震わせた。小田垣の視界の中で、カトレア柄のワンピースが揺れる。人と話す時に、とりあえずコートをちゃんと脱いでいるところをみると、そう育ちの悪い女ではないのかもしれない。声の感じからすると、あまり若いという雰囲気でもないから、おそらく何かの理由があるのだろう。

「そんな、人を脅《おど》かすようなことを言わないでちょうだいな。ね、今、うちが困ってるんなら、すぐにでもあなたみたいな人に入ってもらいたいと思うけど。ねえ、そんなに仕事を探してるんだったら、東京の方に行ってみればいいじゃないの」

「嫌なんです、東京は。私、横浜から離れたくないの。ねえ、お願いします」

横浜の好きな人間は、よくこの女と同じようなことを言う。横浜から離れたくない。それほどの魅力のある街なのかどうか、小田垣にはよく分からない。確かに、東京や大阪とも異なる、一つの雰囲気を持ってはいるだろうが、よその土地から来た人間にしてみれば、特に住みやすいということも、親しみが持てるということもない。

「じゃあ、こうしない？　誰の推薦か知らないけど、うちのほうで空きが出たら、あなたに連絡するわ」

「そんな。私、今夜からでも働きたいんです」

「空きが出るまで待たせたら、この人は年が越せないんだろう」

小田垣はぽつりと言った。その途端、煙草を持つ方の脇にもう片方の手を差し込んで、こころもち顎を上げていたママの表情が動いた。

「こんなに熱心に言ってるんだから、ママの度量の広いところを見せてやったら」

小田垣はゆっくりと顔を上げ、ママをじっと見てから改めて女を振り返った。

最初の印象どおり、耳の下で切りそろえたボブの髪をライトに輝かせながら、女はわずかに目を細めて小田垣を見た。顎の尖った、頰のあたりにわずかに幼さの残るような顔をした女だった。胸元からウエストまで、こまかくドレープの寄ったカトレアの柄のワンピースを着ている。

「どこかで、お逢いしました?」

濃い口紅に彩《いろど》られた、比較的薄い唇が動いた。小田垣は「いいや」と答え、片方の口元だけで微かに笑ってみせると、ママを見た。

「綺麗な子じゃないか。いいんじゃないの、雇ってやれば。どうせ今いる子たちだって、来たり来なかったり、いい加減なものなんだろう? ちゃんと働いてくれる子がもう一人くらいいても、いいと思うがね」

ママは急に慌てた顔になり、眉をひそめてちらりとバーテンダーを見る。だが、バーテンダーは静かな表情のままで、すべての感情を押し殺したように黙っていた。

「小田垣さんの、お知り合いなの?」

「そういうわけじゃないさ。クリスマスも近いんだから、ママも儲けるばかりじゃなくて、たまには人助けもいいんじゃないかと思ってね」

小田垣の言葉にママは「いやあね、そんなに儲けてなんかいませんわ」と笑い、それから諦めたようにため息をつく。

「小田垣さんにそう言われちゃったら、私だって血も涙もない女じゃないんだから、断われないわねえ——履歴書か何か、持ってるの」

「働かせていただけるの？」

「毎日っていうのは無理よ、うちも長いこと続けてくれてる子がいるんだから——そうねえ——月・水・金なら、いいわ」

「本当ですか？　ああ、助かるわ、ありがとうございます」

ママは、煙草を灰皿に押しつけながら「小田垣さんに感謝なさいよ」と言い、恨みがましい笑顔で小田垣を見る。

——吸い殻だ。手がかりになるのは、ほかにない。

小田垣は急速に頭の中で何かが動きだしそうになるのを感じながら、黙っていた。何か、見えてきそうで見えてこないものがある。現場に残されていたのは、吸い殻の先の一センチほどを潰すようにして、必ずフィルターと葉の境の部分を折ってある吸い殻だった。あんな煙草の消し方をする人間は、そうはいないはずだ。

「どこでお目にかかったか分からないけど、ありがとうございました。おかげで飢え死にしないで済みそうだわ」

耳元で声がしたかと思うと、カトレアのワンピースの女が、隣の椅子に腰掛けていた。

「いや、今夜初めて会うよ」

小田垣は、四人の殺害現場に残されていた煙草の吸い殻のことばかりを考えながら口先だけで返事をした。

「そう――まあ、いいわ。とにかく救いの神よ、ありがとう」

女の手が軽く腕に触れる。それでも小田垣は黙ってグラスを見つめていた。

煙草を吸わない小田垣でも、セブンスターやマルボロ程度の銘柄は知っている。だが、鑑識が言ってきた煙草の銘柄は、もっと違うものだった。ああ、いや待てよ。これまで、我々は注射痕に気を取られすぎていたのかもしれない。煙草に毒物を仕込むことだってできるはずだ。鑑識からは何の報告も受けていないが、その線で考え直す価値はあるかもしれない。

「私、摩衣子《まいこ》です。よろしく」

女がそう言った時、履歴書を見ていたママが「じゃあ、摩衣子ちゃん」と言った。

「最初に、いいことを教えておいてあげるわね。こちらは、県警の小田垣さん。大切なお客様なんだから、口のきき方に気をつけて。何しろ、あなたは小田垣さんが何かの気まぐれであぁ言って下さったから、うちで働いてもらうことになったんですからね」

「まあ、県警の方？　刑事さん？」

摩衣子は驚いた声を上げて小田垣の腕をさらに摑む。小田垣は黙って摩衣子という名の女を見た。二十五、六というところだろうか。いや、化粧のせいがあるから、もう少しいっているかもしれない。

「まあ、そんなところだ」

「道理で、普通の人よりも目元が鋭いと思った。私たち、健全な市民のために悪い人を捕まえるお仕事よね、素敵」

摩衣子は瞳を輝かせ、小田垣を横からのぞき込みながら、ゆっくりと瞬《まばた》きをする。小田垣は、半ば諦め気味に、今度こそ仕事から頭を切り離す覚悟で摩衣子を見た。

「奢《おご》ろう、何がいい」

「じゃあ、同じものを」

カウンターの向こうでは、ママがひやひやとした顔で摩衣子と小田垣のやりとりを聞いている。小田垣はバーテンダーに自分の二杯目と、カトレアのワンピースの女の分を注文した。

「シャボーのナポレオンがお好きなのね、覚えたわ」

摩衣子は「いただきます」と言ってグラスを掲げると、少し間隔が開き気味の、心持ち目尻の下がった目元を細めた。小田垣は、まっすぐに前を見つめたまま、自分の隣で揺れているカトレアの模様を、秘《ひそ》かに楽しむ気分になっていた。

8

十二月十八日　午後十時

摩衣子はカウンターに並べたタロット・カードを頬杖《ほおづえ》をついて眺めながら、深々とため息をついた。今夜の「バー・マリエ」は客の出足が遅く、やっと少し賑《にぎ》やかになったかと思うと潮が引くようにいなくなってしまって、ついに誰もいなくなった。

「暇ねえ、今夜は。どうしちゃったのかしら」

カウンターの内側で黙って煙草を吸っていたバーテンダーの木下は眉を微かに動かしただけで「まあね」という表情になる。

「あんまり暇だと、せっかく雇ってもらったって心配になるわ。クビにはならなくても、店そのものがポシャるんじゃないかと思っちゃってさ」

摩衣子が働くことになったから、女子大生のアルバイトは余計に勤務態度がルーズになって、今日も来ていない。摩衣子が来ない曜日に来ている三十歳という女の話は木下やママから聞くことがあったが、顔をあわせたことはなかった。

ちょうど、ママは馴染《なじ》みの客と「ちょっと」と言って出かけたところだったから、摩衣子は誰はばかることなくそんなことを言えた。

「昨日はどうだったの？」

「昨日は、まあまあかな」

「いやだわ。私がお店に出る日が暇だなんて思われたくないわ」

「こういう夜もあるさ。こういうときに限って現われる客もいる」

「誰？」

木下は目を細めながら煙草の煙を吐き出し、それから流しに煙草を投げたらしかった。微かに「ジュッ」と火の消える音がする。

「たとえば小田垣さんなんか、現われそうな夜だな。あの人が来る時は大抵暇な夜だ」

摩衣子は、木下の言葉にカウンターに身を乗り出した。

「小田垣さん、来るかしら」

先週、摩衣子が初めてこの店の扉を開けた時の、小田垣の横顔が今も鮮明に心に残っている。

黙って何かを考える顔をしていた小田垣は、何の関心もないような顔で摩衣子とママとのやりとりを聞いていた。けれど、摩衣子がこの店に潜り込むことができたのも、あの時の小田垣の口添えがあったからだ。

「摩衣子ちゃん、小田垣さんが気に入ったんだろう」

木下は痩《や》せて、頬のこけた男で、野暮ったく見えるほどに太く下がった眉の下の目が抜け目なく動く。普段はうつむきがちに仕事をしているから目だたないのだが、案外しっかりと店全体を眺め回していることに、摩衣子はすぐに気づいた。そして、彼は客の動きの全体を把握し、客たちの囁《ささや》きに耳を傾け、ホステスの行動をチェックしている。

「そりゃあ、そうよ。小田垣さんのおかげで仕事にありつけたんだもの」

木下は微かに鼻を鳴らすと、口元を皮肉っぽく歪めて「それだけかね」と言う。

「それに、小田垣さんって、結構素敵じゃない？　パリッとしてて、どこから見てもエリートっていう感じ。お酒を飲んでも乱れないし、礼儀正しくて」

摩衣子は、ロック・グラスに注いだウーロン茶を一口飲むと、小さくため息をついて見せた。

「警察のお仲間と見えることもあるの？」

「ないね。あの人はいつも一人。飲む物も、席も、いつも一緒」

「渋いわねえ、素敵だわ——、あ、ママには言わないでよ、私がこんなこと言ってたなんて」

ママからは、小田垣には無闇《むやみ》に近づくなと言われている。何しろ相手は神奈川県警のエリートなのだから、細心の注意を払わなければならない。彼が「バー・マリエ」に現われるようになって三年ほどになるが、彼はこれまでに一度だってホステスの女の子に興味を抱いたことはないらしかった。

「お役人の相手は好きじゃないけど、小田垣さんは別っていう感じ。厳しい仕事をしてる人に限って乱れるものなのに、あの人にはそういうところがないもの」

木下は、相変わらず皮肉っぽい口元のままで、黙ってグラスを磨き始める。

「やっぱり、命がけで仕事してる人って、普通の人とは違うのかしら」

「どうかね」

「頭がいいんでしょうねえ」

「そうだろうね」

「ああ、素敵だけど——怖いわね。あの目で見られたら、隠しごとなんか出来ない、何でも見通されちゃうみたいな感じよね」

摩衣子がしきりに小田垣のことを言って、ようやく木下が重い口を開いた。バーテンダーは、普段あまり自分の考えを口にしない。特に木下は店の風景に自分を完全にとけ込ませてしまうような部分があるから、木下本人の考えを聞き出すのは至難の業だった。

「俺は、どうかと思うけどね」

「どうか、って、どういうこと」

摩衣子は瞳を輝かせて身を乗り出した。摩衣子の知らない情報、摩衣子がここへ来る以前のことを聞きたい。

「頭はいいのかもしれないけどさ、何となく薄気味の悪い人だと思うがね」

摩衣子は小首を傾げながら、しきりにグラスを磨き続ける木下を見つめた。

「何が、薄気味悪いの？」

木下はちらりと摩衣子を見、相変わらずの口元で、しばらく沈黙を守る。流れていたジャズがふいに途切れ、ガチャリと耳障りな音がして、新たな曲が流れ始めた。オート・リバースのダブル・カセットで流れているジャズは、木下がテープを選んでかけているものだった。

「人間、仕事がキツけりゃキツいなりに、どっかで羽目を外したくなるもんだ」

「――小田垣さんには、それがないっていうこと？」

「何を考えてるんだか知らないけどね、よくまあ、いつも張りつめていられると思うよ。俺たちの商売は、お客様にリラックスしてもらうためのものなんだがね、まるで、こっちを試しに来てるみたいな感じだ」

そこで、摩衣子はくすくすと笑って木下を見た。

「それはさ、こっちがスネに傷があるからじゃないの？」

「そんなもの、ありゃしないよ」

木下がため息交じりに答えたとき、ドアが開いた。

「あら、噂《うわさ》をすれば、だわ」

摩衣子はひらりとカウンターの椅子から下りると、小走りにドアに近づいた。外の冷たい空気をまとった小田垣が一瞬目を細めて摩衣子を見た。

「年は越せそうかい」

「何とか。小田垣さんのおかげ」

摩衣子は小田垣のコートを受け取りながら、笑顔で彼を見つめた。小田垣はほんの一瞬だけ摩衣子の視線を受け止めると、すぐにそれを外し「それは、よかった」と言っただけだった。木下がいつもの無表情な声で「いらっしゃいませ」と言う。摩衣子は悪戯《いたずら》っぽい笑みを浮かべ、上目遣《うわめづか》いに木下を見てから、自分も小田垣の隣に腰掛け、急いで広げていたタロット・カードをしまった。

「何の噂をしていたの」

「小田垣さんは、福の神だって。ちょっと暇な時には必ず来てくださるから」

「私が、福の神」

「そうよ」

差し出されたグラスを手元に引き寄せると、小田垣は少しまぶしそうな顔で摩衣子を見た。目の下に疲労の色が現われている。新聞で読んでいる程度の知識しかないが、摩衣子も例の「連続婦女暴行殺人事件」のことを知らないわけではない。そして、小田垣が捜査本部長として事件の捜査にあたっているということは、木下とママから教えられた。彼が今、まぶしそうな顔をしたのは、摩衣子のせいではなく、天井から下がっているダウン・ライトが氷かグラスに映ったせいかもしれない。それほどに、彼の顔は疲れて見えた。

「お疲れみたいね」

「そうでもない」

小田垣は答えながら初めて摩衣子の服に目をとめた。今日、摩衣子は抽象画のような柄の服を着ていた。白や淡い黄色の丸い形から上に一本、下に二本、細く長い線が伸びている、流星にも、流れる光の中で粒が光るようにも見える不思議な模様が、赤い地に幾何学的に散らばっているプリントの柄だった。

「珍しい柄の服を着てるね」

小田垣は一瞬目を細めて、隣の摩衣子から少し上体を離しながら摩衣子の服を眺めた。

摩衣子は「そうお？」と言いながら、自分の肩の辺りを撫《な》でて見せる。

「マスデバリアだろう」

「あら、何、それ」

摩衣子は目を丸くして小田垣を見つめた。小田垣は口の端にちらりと得意そうな表情を浮かべ、次の瞬間にはもういつもの静かな顔になって「何だ、知らないで着てたの」と答えた。

「蘭の種類だ。マスデバリア、熱帯アメリカの高地に自生してる花だよ」

「これ、蘭の花なの？」

摩衣子は改めて自分の服を眺め回してみた。

「正面から見たところだね。横から見れば、また違う表情が楽しめるけど」

「小田垣さん、蘭にお詳しいの？」

自分の膝の上に散らばっている模様は、角の少ないヒトデのようにも見え、人間の作り出した、ただの無意味な模様にも見える。

「趣味といえば、それくらいなんでね」

小田垣は穏やかに答えた。摩衣子は「すごいわ」と言いながら、小田垣の静かな横顔を見つめていた。

「意外だわ、小田垣さんと蘭なんて」

「そう思われるほど、僕のことを知らないだろう」

「これから知るわ」

言いながら、摩衣子は小田垣の手を取った。全体に薄くて柔らかく、乾いた感触の手の平をさすり、ダウン・ライトの光にあてる。

「頭がいいのね、手相に出てる」

「そうかな」

小田垣は黙って手の平を差し出したまま、もう片方の手ではアルマニャックのグラスを傾けている。彼には自分の手相など興味はないのかもしれないが、それでも摩衣子は小田垣の手の平を見つめていた。

「それに、運が強いわ、金銭運も安定してる」

「公務員だからね」

「――」

「何年かに一度ずつ、人生の転機が訪れる」

「――」

「理性的で決断力が強い、気むずかしくて、神経質なところがある反面、大胆で――引っ越しも多いのね」

「転勤が多い」

小田垣は、そう答えたところで手を引っ込めてしまった。摩衣子は黙って自分の手からすり抜ける小田垣の手の感触を味わっていた。

「これ以上観《み》られたら、恐ろしいからね」

初めてにやりと笑って、小田垣はちらりと摩衣子を見た。

「占いなんか、するの」

「タロットもやるし、トランプもやる。今度、姓名判断も勉強してみようかと思ってるの」

「占い師にでもなるのかい」

「それもいいかも。自分の運命を読みたいと思って始めただけなんだけど」

摩衣子は、くすりと笑いながら煙草に手を伸ばし「よろしいかしら」と隣を見た。

「ああ、どうぞ」

「おそれいります」

ママからは「色気がないわね」と言われたが、摩衣子はロングピースを吸う。

「ここに来たのも、カードが導いてくれたのかもしれないわ」

摩衣子は煙草の煙を小田垣とは反対の方に吐き出しながら、一度まとめたカードから、一枚のカードを取り出して小田垣に見せた。

「このカードよ」

小田垣は、素直に差し出されたカードを手に取って眺めている。摩衣子は、その小田垣の横顔を見つめながらゆっくりと口を開いた。

「ジャッジメント。審判のカードなの」

「審判？」

ロングピースの甘い香りが摩衣子の周りを取り巻く。小田垣は、自身では煙草は吸わないらしかったが、隣で誰かが煙草を吸っていたからといって、あからさまに顔をしかめるということもないらしかった。

「キーワードは、復活。ピンチ脱出よ」

水に墨が溶けるように、ダウン・ライトから広がる照明の中で煙草の煙がうねりながら空気に溶けていく。摩衣子は、再び煙草の煙を照明の中に吐き出し、小田垣の横顔を見つめていた。

「ピンチ脱出、か」

小田垣は鼻から微かに息を吐き出しながら、しげしげとカードを見つめている。おそらく、彼自身も仕事上のピンチから脱出したいと願っていることだろう。だが、小田垣の雰囲気からして、決して摩衣子にタロットなどで事件の行方を占ってくれとは言い出すまい。

「これから運が開けるわ」

何を占うのでも、このカードが出る時は嬉しい結果になるものだ。だから、摩衣子は「審判」のカードが好きだった。そして、今回も、このカードが出たのだ。審判のカードには、ほかにも意味がある。グッドニュース、再会、愛の復活、奇跡——。

「それは、おめでとう」

小田垣は、ゆっくりとカードを差し出しながら、再び目を細めた。木下が嫌いだと言っていた癖はこれなのだろうと思いながら、摩衣子はなぜか背筋をぞくぞくとするものが這《は》い上がるのを感じていた。

9

最初に殺した時には、分からなかったことだ。

けれど、二人目の時には、はっきりと感じた。殺そうと、そう思っただけで、かつて経験したことがないくらいに興奮したのだ。

自分の手の中で、一つの生命の火が消える。その時、女はどんな顔をする？　どんな声を出す？

そんなことを想像しただけで、勃起した。

女なんてみんな同じなんだ。どんなにお高くとまってる女も、どれほど気取って歩いてる女も、清純そのものに見せている女も、一皮剝《む》けば誰も彼もみんな同じだ。そして、自分が殺されると分かった時、女はなりふり構わず命乞いをするにちがいない。泣いて、わめいて、助けてくれと言うだろう。

その時のことを考えただけで、全身が震えるくらいに興奮した。

実際、女はすすり泣いたものだ。助けて、お願い、どうしちゃったの、なぜ。女は震える唇からかすれた声を上げ、瞳を精一杯見開いて見つめていた。冗談でしょう？　たちが悪いわ。ねえ、やめて、お願い、私の話を聞いて。

爆発の瞬間の快感ときたら、これはもう、たとえようもないものだった。五十階建てくらいのビルから、一瞬のうちに飛び降りるみたいな快感が身体を貫いた。そして、たった今機能を停止したばかりの白い肉の塊りに、叩きつけられたみたいに快感の名残りが飛び散った。

それからも、動かなくなった女を見ながら、あと二回射精した。女は、動かなくなってこそ多少美しいとも思われた。

だがこれは最初から望んだことじゃない。あの時のあの快感は、すべて二次的に生まれた副産物にすぎない。だからこそ、そう簡単に同じことを繰り返すまいという気持ちも働いた。自分の手であやめるには、それなりの理由が必要だった。くだらない女なんかのために、快感に溺れまいと自分を戒め、そして、自分の手ですでに物体になってしまった女のことを考えて、しばらくの間は満足することにしていた。

10

十二月二十日　午後二時

このところ、小田垣はほとんど連日に近く病院の法医学研究室を訪ねている。

これまでに、数十人の容疑者が浮かび上がり、シロであることが証明されていた。話を聞いた人物は既に数百人にのぼり、提出される書類ばかりが増えている。それでも捜査が大きく進展しないのは、相変わらず死因が特定できないということにもよっていた。

渋沢の表情はいつも一定であり、態度も淡々としたものだった。だが、やはりその表情にも疲労の色が濃く見られた。

「いくら捜査本部長が毎日じきじきに来られても、こういう状況の場合は急に何かが変わるわけじゃないんですがね」

小田垣の姿を認めると、渋沢は深々と息を吐きながら眼鏡の奥の充血気味の目をしばたたいた。

「気にしないでくれませんか。これも性分でね」

「あなたの相手をしている間に、少しでも仕事をすすめられるんですが」

「相手をしようとしなくて結構ですよ。先生から必要なことを聞き出したら、私だってそれほど暇じゃない。すぐに帰ります」

渋沢は、小田垣をちらりと見ると眉だけをわずかに動かし、「お好きなように」とでもいう顔になる。それからあらゆる書類や書物で隙間《すきま》がほとんどなくなってしまっている机から、がたがたといわせながら本をどかし、何かの紙の束を床に滑り落としたりしながら、ようやく一つの書類を取り出した。

「小田垣さん」

一つの書類を読んでいた渋沢は、少し何かを考えてから表情を変えないままに口を開いた。

「これから僕の言うことは、あくまでも僕個人の推測でしかありません。それをよくご理解のうえ、聞いていただきたいんですが」

渋沢は、黒いフレームの、もしかしたら学生の頃から買い換えたことさえないのではないかと思われるような、何となく歪んで見える眼鏡を外し、白衣の身頃《みごろ》で乱暴にレンズを拭う。小田垣は、返事もせずに、黙って椅子に腰掛けたまま、渋沢を見上げていた。

「まだ、すべての薬物検査が終わったわけじゃない。その段階でこんなことを言うべきじゃないのかもしれませんが、時間ばかりが過ぎていくのは、僕としても心苦しいんです——」

「——続けてください」

渋沢は、いつにも増して表情を押し殺し、眼鏡の奥の目を遠くに向けた。それから、意を決したように小田垣を見る。

「医学を学んだ者ならば、誰でも知っていることですが」

「——」

「いわゆる毒物といわれるもの以外でも、人を殺すことは可能です」

「と、いうと」

小田垣は、じっと渋沢を見つめた。彼は、これまでにない貴重な情報をいま小田垣に伝えようとしている。それは、渋沢の厚いレンズの奥の瞳から明らかだった。

「たとえば、カリウムがあります」

「カリウム、ですか」

「もともと人間の細胞はカリウムを抱え込んでいる。血液中にも含まれています。しかし、そのカリウムが急激に平常値を上回ると、一瞬のうちに全身の筋肉が収縮、拘縮《こうしゅく》します」

「筋肉が収縮――」

「その結果、心室細動を起こして、短時間のうちに死亡する。その場合には、死後、解剖しても、死因は心不全と判断される場合が多いんです」

小田垣は、沈滞しかかっていた脳の動きが、一気に活発になったような気がした。

「もう少し、詳しく説明してもらえませんか」

見えない糸の端が、ようやく見えそうな気がする。見失わないように、切らないように、そっと、注意深く手繰《たぐ》り寄せなければならない。

「これは、確証があって言ってるわけじゃない。そこを了解しておいていただきたいんです」

渋沢は、小田垣の静かな表情の裏にある意気込みを素早く感じたらしかった。念を押すように繰り返されて、小田垣は、渋沢を見上げながらゆっくりと頷いて見せた。

「普通、人間の血液中には3・5Ｅｑ／ℓから5・0Ｅｑ／ℓのカリウムが含まれています。ところが、そのカリウム濃度が、平常値を上回り、10Ｅｑ／ℓ以上にも達したりすると、死亡するということなんです」

「じゃあ、四人の被害者の血液は、カリウム濃度が異常に高かったんですか」

「人間の身体は死後どんどんと体内の細胞が破壊されていきます。細胞内にはカリウムが取り込まれていますが、その細胞が破壊されることで、カリウムはどんどんと血液中に入ります。ですから、普通でも、死後、血液中のカリウム濃度は高くなるんです。解剖しても血液中のカリウム濃度が高いのは当然のこととして判断される。異常なことではない、ということです。つまり、これを殺人に利用すれば、当然他の毒物が検出されることもなく、死因としては心不全としか判断のしようもない」

「――それだ」

小田垣は、手の平がうっすらと汗ばんでいるのを感じながら、大きく深呼吸をした。渋沢は小田垣の反応を確かめるように、一度じっと小田垣の顔を見つめると、再び口を開いた。

「たとえば、塩化カリウムの一〇パーセント溶液だったらば、体重七〇キロの人に対して、六〇ccも注射すれば、その人は確実に死亡します。ですから、五〇キロの人だったら、四三から四五ccっていうところでしょう。それを、血管内に注射すればいいんです。注射の量としては、かなり多いですが、相手を眠らせてしまっていれば、問題はありませんからね。それによって、もちろん膣内の筋肉も収縮するわけですから、今回の場合は、犯人は自分の性的快感を高めるのが目的だったかもしれません」

渋沢は、そこまでを一気に話してしまうと、深々と息をついた。

「僕なんかは、たしか四年の時に習ったと思います。実習でね、犬を殺したんです」

「――」

「つまり、学生であっても、知識はあるということです。ただ、そうは思いたくないというのが、正直なところですが」

小田垣は、そこまで黙って話を聞いていて、ようやく見え始めた細い糸の、そのあまりの頼りなさに改めて気づいていた。

医学、薬学の関係者を片っ端から調べろというのか。もう少し、捜査の範囲を狭《せば》めることはできないのだろうか。血液型B型の、医学・薬学関係者。それ以外に、何かの手がかりはないものだろうか。

「どこでも手に入るものですね」

小田垣の質問に、渋沢がうなずきながら口を開きかけた時、扉をノックする音がした。顔をのぞかせたのは、前にも何度か見たことのある、アルバイトの学生だった。

「あ、失礼しました」

学生は、小田垣に気づくと慌ててドアを閉めようとする。それを渋沢が呼び止めた。

「何だい」

小田垣は、事務的な用件を渋沢に伝えている学生を横目で見ながら、目まぐるしく頭を働かせていた。

カリウム溶液。

おそらく、渋沢の予測は十中八九、当たっているだろう。そう考えたほうが、自然だという気もする。この間の渋沢の説明を聞いていても、死斑一つとってみたところで、何の手がかりも残らない毒殺がいかに困難なことかはよく分かった。カリウム溶液ならば、入手に困難な点は一つもない。そして、たとえばいま隣にいる学生でも、犯行に及ぼうと思えばすぐにでも行動に移せるのだ。

医は仁術などと考えている人間は、もはや少なくなっている。医師という職業を聖職として意識している人間だって、減っているにちがいない。そんな知識を持っているものが、たとえば面白半分にでも、学校で得た知識を実践してみたいと考えたとしたら、今回のような犯罪は簡単に起きる。

「そうだ、沼田君」

せっかく得た、この小さな手がかりを、どうやって展開しようかと考えていると、渋沢が学生の名を呼んだ。そこで小田垣の考えは中断された。

「君、薬理の実習で、犬を殺したことがあるかい」

沼田と呼ばれた学生は、一瞬ぽかんとした顔になり、それから急いで天井を見上げて、暗記した内容を思い出そうとでもするような顔になった。

「あ、はい——塩化カリウム溶液を使う実習で、やりました。病院内で起きる事故として、案外多いものだから、十分に気をつけるようにと言われたように思います」

小田垣は、沼田という学生のおとなしそうな表情を眺めていた。頭を整理しなければならない。今のままでは、情報を情報として生かすことができない。

「鑑識のほうからは、新しい情報は入っていないんですか」

学生が顔を引っ込めたところで、渋沢が再び小田垣を見る。小田垣は、ゆっくりと首を振った。

「四人のうち、三人の被害者が同じポケット・ティッシュを持っていたと報告がありました。よく駅前などで配られているもので、ティッシュの裏に広告が入っているものです」

「どこの、広告だったんですか」

「ダイヤルQ_2のものですよ。なかなか手広く経営している店のもので、大きなターミナル駅などで配っていて、それだけで手がかりとするには、やはり希薄なんです。ご存じですか、ダイヤルQ_2」

「いや――なんですか、そのダイヤルQ_2って」

渋沢が、そういうものを知っているとは思えなかったので、案の定の反応を見て、小田垣はそこでようやく薄く笑った。

「最近流行っていて、問題になってるんです。テレクラみたいなもんなんですがね」

「なんですか、テレクラって」

ぼさぼさの髪に野暮ったい眼鏡をかけた渋沢は、きょとんとした顔で小田垣を見ている。小田垣は、ふいに渋沢が羨《うらや》ましいと思った。

彼は、彼の世界だけで生きている。ダイヤルQ_2もテレクラも、彼にはまったく関係がない。誰もが彼のように、自分の世界に没頭して生きていれば、今よりももう少し違う世の中になるかもしれない。小田垣自身にしたところで、必要に迫られてそれらの情報を得ているだけのことかもしれない。知らないで済むものならば、無理に知ろうとすることなど何もないのだ。

「また寄らせてもらいます。薬物検査のほうは、続けるんですね」

「もちろん、続けます」

まだきょとんとしたままの渋沢に軽く頭を下げると、小田垣は渋沢に背を向けた。

「小田垣さん」

歩き出そうとしたところで、渋沢が声をかけてくる。

「犯人が残していったと思われる手がかりは、具体的なものとしては、煙草の吸い殻しかないはずでしたよね」

「――そうです」

「それ、無理でなかったらで、いいんですが、僕にも見せてもらえないでしょうか」

小田垣は、奇妙な違和感を覚えながら渋沢の顔を見た。自分の検査だけで手一杯のはずの渋沢が、そんな申し出をしてこようとは考えてもみなかった。

――彼は、並々ならぬ興味を抱いている。

小田垣は少しの間渋沢の顔を見つめ「何にするのだ」と聞こうかどうしようか考えた後で「いいでしょう」と答え、病院を出た。

師走《しわす》も押し迫り、すっかり葉を落とした裸木たちが、凍りつきそうな青空に、ひびを入れるように痩せた枝を広げていた。

11

十二月二十二日　午後八時四十分

街中のいたるところが、クリスマスのイルミネーションで輝いて見え、駅前は、いつにもまして混雑していた。

「よろしくお願いします！」

駅前で青の点滅に変わった信号に向かって小走りに駆け出そうとしていると、紺色のブレザーを着た若い女がティッシュを差し出す。夏季は無意識のうちに手を伸ばしてティッシュを受け取り、横断歩道に走り出た。

「どうぞ」

途中で赤に変わってしまった信号の中を走り抜けると、今度は白いコートを着た若い男が歩道の向こうで待っていて、ティッシュを差し出す。夏季の背後には、すでに厚かましく、気ぜわしい車の音が氾濫している。どこかの商店からは、クリスマス・ソングが賑《にぎ》やかに聞こえてきた。

夏季は横に広がってのろのろと歩いている高校生くらいの女の子の肩にぶつかりながら脇をすり抜け、再び目の前をふさいでゆっくりと歩いているアベックを今度は反対側から追い越しにかかった。二つずつ差し出されて、合計四つになってしまったティッシュ・ペーパーでコートのポケットが膨らんでいる。

クリスマスが来る。そして、一週間すれば年が変わる。

——もしも、来年もこの季節を迎えることができたら。

はしゃぎながら雑談している学生の群れをつっきって、駅の改札口に向かいながら、夏季はいつのまにか唇を噛みしめていた。

——来年の私は、少なくとも今よりもみじめではないはずだ。そうしなければならない。

「やっぱり」

ざわめきに背を向けて切符を買っていると、急にはっきりと声が聞こえた。自分には関係ないと思っていると、今度は背中を叩かれて、夏季は全身を貫く電気が走ったように感じた。一瞬のうちに全身の毛穴が開き、心臓が口元までせり上がってきた。

「こんなところにいたの」

「――絵美ちゃん」

そこには、ほんの短い間だったけれど、同じ職場で働いた娘の笑顔があった。頭のてっぺんから一気に汗が噴き出した。

「急にやめちゃうからぁ、心配してたんだよ」

「――ごめんね」

夏季よりも五センチほど長身の絵美ちゃんは、少しの間じっと夏季の顔を見つめ、それから切符の自動販売機の前に立ち尽くしていた夏季のコートの袖《そで》を摑むと、人混みから離れたところまで夏季を引っ張っていった。

「あの後、三田村さんって、一体どういう人だったんだろうって、いろいろ噂になったんだよ」

「――」

「あの人、あれからもまた来たんだから」

「――そう」

「二回、来たかな。最後に来た時には『隠しても分かるんだぞ』とか言ってたみたい」

「――」

「どういう人なの？　どうして、あの人から逃げなきゃならないの？」

夏季はうつむいたまま、ただ黙っていた。誰にも何も言うつもりはない。

「ごめんね、迷惑かけて」

ただそれだけを言った。ようやく顔をあげると、絵美ちゃんの顔の向こうに、駅の大きな時計が見える。八時五十分を回っていた。

「あんまりしつこいから、店長が履歴書に書いてあった住所、教えたよ」

勤務先が知れてしまった以上、そんなこともあるだろうと思ったから、夏季はあの翌日にすぐにアパートを引き払っていた。だが、それでも彼は、夏季の次の職場を探し出したではないか。

「普通の人に見えるのにな」

絵美ちゃんがぽつりと言う。雑踏が、その声をひどく遠いものにさせた。

「頭だってよさそうだし、店長も、三田村さんは短大の英文科出てるって言ってたしさ。三田村さんがお花が好きなのは、見てて分かったけど、でも、何も今さらお花屋さんで働く必要なんか、全然ないんじゃないのかなって、思ってたんだよね。まあ、きっと、何か事情があるのかなとは思ってたけど、でも――」

「――ごめんね、絵美ちゃん。私、ちょっと急ぐの」

夏季は、まだ何か話したそうにしている絵美ちゃんを、できるだけよそよそしい表情で見つめた。

「わざわざ教えてくれてありがとう。でも、これは私の問題だから。もう、絵美ちゃんやお店には関係ないことだし、迷惑もかけないわ」

絵美ちゃんは少し驚いた顔で夏季を見、それからすぐに諦めたような曖昧《あいまい》な笑顔になった。

「そうだね。縁があったら、また会おうね」

絵美ちゃんは、鼻から荒々しく息を吐きながら、おざなりに手を振ると、さっさと歩いていってしまった。

——さよなら、絵美ちゃん。

自動改札を抜け、小さな穴をパンチされて出てきた切符をポケットにしまおうとして、夏季は再びポケットがティッシュで膨らんでいることを思い出した。惨めな気持ちでいっぱいだった。

翌日、くしゃみをしているアルバイトの男の子にティッシュを渡してやると、その子は「へえ?」とすっとんきょうな声をあげた。

「どう?　かけてみました?」

「何を?」

そこで男の子はティッシュを差し出しながら「これ、これ」と言う。

「三田村さん——」

それは昨日配られたティッシュの一つで「さびしいナ、つまらないナ、話し相手が欲しいナ、BFができないかナ、そんな貴女、フリー・ダイヤルで安心してお喋りできます。さあ、素敵な出会いを求めて、レッツ・ダイヤル！」という文句が黄色い紙にプリントされていた。

「横山君、かけたことあるの？」

夏季の言葉に、横山という学生は「ははは」と明るく笑った。そこへ、もう一人の学生アルバイトが配達から帰ってきた。

「ちぇっ、世間はクリスマス、クリスマスで盛り上がってるのに、こっちときたら氷みたいになって働いてるんだもんな、嫌になっちまう」

「ああ、おい、おまえもかけてみれば？　クリスマスあたり、結構アナかもしれないぜ」

横山は、そう言いながら夏季から手渡されたティッシュを今度は江口という学生に見せる。

「あ、そうかもな。ああいう時に限って、結構、いい子がつかまるかもしれない」

「つかまるっていったって、お喋りするだけなんでしょう？」

夏季は、体格ばかりは立派だが、自分よりも十歳近くも年の離れた二人の学生を見上げた。

「三田村さん、本当に電話したことないの？」

横山は、もう一度改めて夏季の顔を見る。

「女の子はフリー・ダイヤルだからいいけどさ、男のほうは、いったい幾らくらい払うか、知ってる？」

「知らない」

「大概ね、六秒で十円。つまり、一分百円ね。と、いうことは、一時間で六千円っていうこと」

「一時間で、六千円？」

夏季は思わず大きな声をあげて二人の学生を見てしまった。

「だから、ね。ただお喋りするだけのはずが、ないでしょうが」

そこで、江口という学生がにやりと笑った。

「俺もね、まだ経験はないんだけどさ、結局はテレクラと同じなんだよ。話してみて、フィーリングが合ったらさ、会うんだよ。単なるきっかけ作りなの、Q2は」

「会うって——知らない人と？」

今度は横山が「へへへ」と笑う。

「そういう誘いに乗る女の子って、多いんだよ。って、いうよりも、女の子もそういうつもりで電話してるんだから」

「会ってみて、お互いOKだったら、そのままホテルに行ったっていいんだしさ」

「ダイヤルQ₂って、そういうためのものなの？」

夏季は初めて聞く情報に目を丸くして、いちいちうなずきながら学生たちの会話を聞いていた。

「もちろん、皆が皆、そんなことをしてるわけじゃないと思うよ。俺たちだって、話だけは知ってるけど、やってみたことはないもん」

話すだけで何が面白いのだと思っていたが、彼らの説明で、夏季にもようやく事情が呑み込めた。

「商売でやってる子と違うわけだからさ、別に金払うわけじゃないし、新鮮なわけさ。まあ、ホテル代くらいのもんで、名前だって明かす必要はないんだから、後腐れもないからさ、手軽だしな。ソープとか、ファッション何とかっていうところに行くこと考えたら、電話代の方がずっと安いんだよ」

「俺のダチなんか、勝率五割だって言ってたな。だいたい、二人に一人は、会うのに成功するってさ。会っちまえば、後は雰囲気次第だろう？　相手の女の子だって、その気で来てるわけだから」

ちょうど、店頭に客の姿が見えて、夏季は急いで立ち上がった。

「電話だけでっていうのも、アリだしな」

背後で二人の学生が意味ありげな声で笑っているのが聞こえた。

12

十二月二十四日　午前十一時

捜査本部には、ほとんど人影がなかった。ここには、クリスマスも正月もあったものではないが、女子署員の誰かが気を遣ったのだろう。ドアの入口に、小さなクリスマス・リースの形をしたカードがセロテープで留められている。

小田垣は、眉間に皺を寄せたままで、黙って本部長の席に腰掛けていた。たった今、県警本部に呼ばれて、戻ってきたところなのだ。年内解決を目指していたのに、捜査は一向に進展を見せず、解決の糸口さえ見つかってはいない。今の状態では、犯人は野放しのまま新年を迎えるということになる。いつ、五人目の被害者が出るかも分からない状態だというのに、警察当局としては、ただ手をこまねいて、犯人が一つでも新たな手がかりを残してくれることだけを待っている状態なのだ。

——医学・薬学に知識のある者。それだけでは、あまりにも希薄すぎる。もっと、確固たる手がかりを摑まなければ、事件は解決できない。

小田垣は、奥歯をきつく嚙みしめたまま、宙をにらんでいた。

その後の捜査会議で、被害者のうちの二人が同じダイヤルQ_2の広告の入ったポケット・ティッシュを持っていたこと、さらに、もう一人の被害者が定期入れに、また異なるダイヤルQ_2の電話番号のメモを挟み込んでいたことから、被害者はいずれもパーティー・ラインと呼ばれるダイヤルQ_2を利用して犯人と知り合ったのではないかという見方が固まっている。だが、現在無数に点在しているダイヤルQ_2の中から、犯人がどのダイヤルを利用し、どんなきっかけで被害者を選んでいるかということになったら、これはもう捜査は不可能に近い。

「本当に、電話で知り合った程度でホテルになど行くことがあるのか」

小田垣は、若い刑事の調査に対して、そう質問した。若い刑事は口の端にわずかに冷笑に近いものを浮かべながら「珍しくはないそうです」とメモを見て答えた。

つまり、これからの犯罪はますます意図が不明になりやすく、検挙は困難になるということなのだろうか。次々に新しいメディアが開発され、それは人々の生活を便利にするためのものにはちがいないのだろうが、明らかに新手の犯罪を生み出す温床にもなっているのだ。

男がいる。ダイヤルQ_2で、見知らぬ女と話をして、話が合えば待ち合わせの場所を決め、その後、それまで出会ったことすらない男女は、初めて出会い、お互いに気持ちが合えば、そのままホテルに直行する。男は女の名前を知らず、女も男の名前も素性も知らない。そして、一時の快楽をむさぼる間に眠らされ、静脈にカリウム溶液を注射されて、自分でも何が起こっているのか分からないうちに、心臓が止まる。すべては、女の軽率な行動から起こった事件ということになるのだろうか。今の女性は、そんなに簡単に知らない男とでも、ホテルに行くのだろうか。たとえば四人目の被害者のように、れっきとしたタクシー運転手の夫がいる、ごく普通の主婦までもが、そんなことをしているのだろうか。

「小田垣さん」

じっと一点を見つめて考えをまとめようとしていた時、不意に名前を呼ばれた。顔をあげると、クリスマス・リースのカードが貼られたドアの隙間から顔を出しているのは、監察医の渋沢だった。

「やあ、渋沢先生。どうしたんです」

「この間お願いしておいた、遺留品を見せてもらえないかと思って」

白衣を脱いだ渋沢は、濃紺のコートを腕にかけて、窮屈そうな顔で捜査本部を見回している。

「ちょっと、電話を一本かけますから。外で待っていてくれませんか」

小田垣が答えると、渋沢は急いで顔を引っ込める。電話を終えて廊下に出ると、彼は底冷えのする廊下に所在なげに立っていた。

「いや、失礼。今日にでも届けようと思っていたんですがね」

渋沢は、相変わらずの眼鏡の奥で目をしばたたくと、口の中で「いや」と言う。

「あの——どうです、事件のほうは」

「相変わらずです。せっかく先生から貴重なご意見を賜《たま》わったが、今のところは進展がない」

小田垣は素早く周囲を見回した後で、ため息交じりに正直に答えた。

「医学の知識があるものといったって、範囲は広いですからね。毒物が特定できないとなると、やはり捜査は困難を極めると言わなければならない。先生のご意見が、確かに裏づけられたのならともかく、今の状態では、医師から学生までを含めて、すべての調査をするところまでは不可能ですから」

「——あの程度のことでは、たった一人の人間に的を絞るのは、不可能ということですか」

「たった一人ではなくとも、せめて、ほかの手がかりでも摑めればね。まあ、うちの連中も頑張ってはくれてますが」

　小田垣の言葉に渋沢はわずかに顎を動かし、ため息をもらした。

　――なぜ、ため息をつく。一人に的を絞れないということは、この男にとって何を意味しているんだ。この男は、何か知っているのだろうか――。

　その場に渋沢を待たせたまま、小田垣は鑑識から戻ってきていた証拠品のいくつかを持ってきた。本来ならば持ち出すべきものではないが、ことに煙草の吸い殻に関しては、多数のサンプルが残っているし、どの煙草からも同じ検査結果が出ていることから、そのうちの一つを貸し出しても構わないだろうと独断で判断した。

　ビニール袋に入れられた煙草の吸い殻を見せると、渋沢は「これ、ですか」と言いながら、そっと手の平にビニール袋を乗せた。小田垣は、注意深く渋沢の表情をうかがっていた。普段から表情の少ない彼が、ほんの少しでもいつもと違った様子を見せないものか、その変化を見逃してはならないと思った。

「お貸ししても、構いませんよ。同じ物がこちらにもまだある」

　小田垣が試すように言った言葉に、渋沢は淡々とした表情を返し、「どうも」と言うと、古びた鞄を開けて、ビニール袋を落とした。彼はここでも微かにため息をついた。

「クリスマスは関係なし、ですか」

「お互い様、ですよ」

渋沢は、目をしばたたき、曖昧な笑顔を浮かべて見せる。今朝は髭《ひげ》も剃《そ》っていないらしく、いつにもましてぼさぼさとした感じに見える。まったく、白衣を脱いで病院から出ている彼を見て、誰が監察医などと思うだろう。下手をすれば、まともな職についていないようにさえ見えそうな風貌だった。

小田垣が、そんなふうに観察しているとも知らず、渋沢はいつもと変わらない眼差《まなざ》しで小田垣を見た。

「話は少し変わりますが――行方不明者を探すのは、やはり、難しいものですか」

渋沢の質問に、小田垣はおやと思いながら彼を見上げた。いつも何を考えているか分からないような顔をしているが、その顔には珍しく、午前に似つかわしくない疲労とともに、苦悩にも近い色が見てとれる。

「それは、そうでしょう。年間、何人くらいの行方不明者がいるか、ご存じですか」

「警察に頼んでも、見つからないものですかね」

「――誰か、探してるんですか」

「ええ、まあ」

「今回の事件と、何か関係があるんですか」

渋沢は、目を伏せたままで首を左右に振る。

――いや、無関係なはずがない。この男の頭の中は、今は刑事以上にこの事件のことで一杯のはずだ。自分から煙草を借り受けに来るくらいに。

「捜索願いは出しましたか」

「いや」

「何かの事件に巻き込まれている可能性は」

「――分かりません」

小田垣は、そこで深々と息を吐きながら渋沢を見上げた。小田垣も長身なほうだったが、渋沢はさらに背が高い。一八〇センチは超えているだろう。その長身な渋沢が、あまり冴《さ》えない背広を着てうなだれている姿は、褒められたものではない。

「渋沢さん、ご存じのとおり、警察も一つの役所です。事件が起こらなければ、我々は動かない」

「――事件が起きてからでは」

「特に、行方不明者が成人の場合は、本人が自分の意志で行方をくらましている場合もある。いなくなったからといって、いちいち探しているほど、我々が暇じゃないことくらい、あなただって十分に承知しているはずだ。我々は、人探しを商売にしているわけじゃないんですよ」

「分かっています」

渋沢は、目を伏せたままで口の中だけでそう言うと、鞄を一度床に置き、コートに袖を通し始めた。小田垣は黙って渋沢の行動を見守っていた。四角い顎に囲まれた口元をきつく結んで、渋沢は一つの儀式でも執り行なうように、不思議な流れを感じさせる動作でコートを着込む。

「私個人としては、あなたの話をうかがいたい気持ちはあるんです」

「——ええ」

「だが、現在そんな余裕がないことくらいは、あなただってよくご存じのはずだ」

「分かっています。失礼します」

小田垣の言葉から逃げ出すように、渋沢はゆっくりと頭を下げ、出口に向かって歩き始めた。冷たい空気が足元をすり抜けて行く。

——奴は、何を考えている。今のこの状況を知っていながら、なぜ、行方不明者の話をしようとしたんだ。

少しの間、考えをまとめたい気持ちもあって、小田垣はすぐに捜査本部に戻らずに、階段の下の自動販売機でコーヒーを買って飲んだ。

——行方不明者。事件にならないかぎり、警察は動かない。

自分で言った言葉を頭の中で反芻《はんすう》する。

小田垣個人として考えても、本当は渋沢の人探しを手伝う気持ちなど、持ち合わせてはいなかった。人探しは、口で言うほど簡単なことではないのだ。伊達《だて》や酔狂で、そんなことをしている暇はない。

だが、少し前から感じている、このがさがさとした違和感は何なのだろう。

——犯人はわざとらしいくらいに吸い殻を残している。

自分こそは捕まらないだろうという犯人の自惚《うぬぼ》れからか。だが、完全犯罪をめざすものが手がかりを残すとしたら、それすらも偽装と考えたほうが正しくはないか。渋沢は、ある意味では刑事よりも犯行の手口については詳しい男だ。証拠の残し方、その隠滅の仕方についても。

小田垣はコーヒーをゆっくりと飲みながら、じっくりと考えをまとめようとしていた。

——意外な展開。

小さなかけ金が、かちゃりと外れそうな気分になる。

——医学・薬学の知識。

「今度ばかりは、あの小田垣もお手上げじゃないか」

「どっちみち、出世が二、三年遅れる程度のことだろう？　まあ、自慢できる功績にはならなかっただろうけどさ」

「まあ、現場を歩き回ってる連中とは、結局最初から最後まで違うんだもんな、俺たちとはな」

「ま、せいぜい俺たちは言われたとおりに動くだけさね。本部長さまのご命令どおりにさ」

「ちぇっ、今日は坊主がサンタクロースを待ってるんだがな」

「サンタはボスの命令でドブさらいしてるって、言ってやんなよ」

冷たい外気が通り抜けたかと思うと、外回りから戻ってきたらしい刑事たちの話し声が聞こえてきた。彼らは、階段の下でコーヒーをすすっている小田垣には気づかないらしかった。

13

いつから、そんなことを感じていたかは分からない。

たとえ幼いころから、または生まれた時から抱いていた感情であったにしろ、それは、いつもいつも意識され、自分の中でくすぶり続けていたというものでもない。

それは、確かにあっただろう。少し突つけばすぐに反応するくらいの、ごく薄い膜に包まれたものであったことだけは確かだ。胎児が羊膜に包まれて育つように、殺意は、不信と憎悪という膜に包まれて、徐々に、確実に膨らんでいったのにちがいない。

それは、一般的にいえば、もっとも血の通わない残虐な感情にちがいない。だが、その行為が人間のすべての行為の中で、他の何よりも自分の生を確認させるものだとは、実に皮肉な話だ。

膨らみ、弾け、ほとばしる。

生命が一つ消える瞬間に、こちらは己れの生命の最高に輝く瞬間を迎える。その方が、汚ならしい生命をぶら下げて歩き続ける女たちにとっても、ずっと人の役に立つことは間違いない。女たちは、死ぬことによって初めて浄化されるのだ。

思えば幼い日、初めて大きな蝿を叩き殺した時に、蝿の腹から真っ白いウジが無数にうごめきながらはみ出したのを見た時に、その考えは生まれた。

あの蝿を殺さなければ、あの腹から無数の蝿が飛び立ったのだということに思いがいった時の、全身を駆け巡った戦慄は、今もはっきりと残っている。夢中になって、マッチを薪《まき》のように積み重ね、うごめくウジの一匹までも残さないようにマッチの上に乗せて、そして、ゆっくりと燃やした。燃やした時の快感、そして、自分の腹をウジで一杯に膨らませている蝿も、人間の女も同じだと思いついた時の、得もいわれぬ不快感。

あれから、蝿を捜しては殺して歩いた。最初のころはすぐに燃やしてしまったが、やがて、押し花のように、紙に挟んでしまっておくようになった。腹からウジが飛び出した時には、ウジも紙に包んで引出しにしまっておいた。親は死んでしまっているというのに、未熟なままで母親の胎内から飛び出さなければならなかったウジどもは、一ミリ程度の体をくねらせ、しばらくの間は生き続けた。そして、やがては紙に張りついて乾いて死んでしまう。

蝿以外の昆虫も、同じように潰して殺してから、紙に挟んでしまっておいた。緑色の汁が飛び出し、内臓を破裂させている昆虫どもは、やがてぺしゃんこに乾いて、最初から生きてなどいなかったみたいに見えた。

父も義母も、そして異母弟妹たちも、誰もがそんなゲームに気づかなかった。部屋にこもって、ひたすら一人で勉強でもしているらしいと思っていたにちがいない。真実が見えていない、見る目を持たない人間を欺《あざむ》くことなど、何の苦労も要らない。奴らがどれほどに無能で、真実を見極める目を持っていないか、こちらは十分に承知しているのだ。

だから、女が死んだ今も、こちらはかすり傷一つ負わず、こうして悠々と暮らしている。あいつらは、みんな大馬鹿野郎だ。

14

十二月二十四日　午後七時

売れ残ってしまったポインセチアの鉢を店の中に運び込み、それから店頭に並べてあった鉢ものを順番に店に運び込んでいると、背後から声が聞こえた。

「やあ、今年は結構残っちゃったなあ」

振り返ると、店員にも「和也さん」と名前を呼ばせている店長が、苦笑を浮かべながら頭を掻いている。それにあわせて、夏季も困った笑顔を浮かべた。アルバイトの学生たちは、外の大きな観葉植物の鉢をしまいこんでいる。

「どう、夏っちゃん、一鉢持って帰るかい」

夏季よりも三、四歳年長と思われる店長は、色が浅黒く、面長の男で、笑うと目の下から頬にかけて、いかにも人の好さそうな皺が寄る。

「いいんですか？」

夏季は、殺風景な自分の部屋を思い浮かべた。普段、仕事では花に囲まれているが、アパートには花一輪として飾られていない。

「好きなのを選んで、持って帰りなよ。残り物で悪いけど、クリスマス・プレゼントだ。それでなくても夏っちゃんはお得意様でもあるんだからさ、仕入れの方でもずいぶん勉強させてもらってるんだよ」

店長の言葉に、夏季は思わず心からの笑顔になった。鮮やかなグリーンと赤のポインセチアは、見ているだけでクリスマス・ソングさえ聞こえてきそうな雰囲気を持っている。これを部屋に置いたら、少しは暖かさが増すだろうか。

「今夜は、これからデートかな？」

店長は、なおも人なつこい笑顔で聞いてくる。夏季は、合計で八つ残ってしまっているポインセチアの鉢を順番に眺めながら、首を振った。

「いいえ」

「え？　彼氏は、仕事？　忙しい人なの？」

「いいえ――」

一つの鉢を選び、それを手に取りながら、夏季は諦めたような笑顔で店長を見た。

「そんな人、いません」

「またまた、冗談だろう？　夏っちゃんに彼氏がいないなんて」

「本当なんですよ。私、駄目なんですよね、全然モテなくて」

和也さんは人の好さそうな笑顔に、気弱な雰囲気まで漂わせて、少しの間黙っている。

「じゃあさ――どう？　寂しい者同士でさ、食事でも一緒にしないか」

夏季は慌てて「あ、いいえ」と答えながら、手にしたばかりの鉢を眺めた。簡単にもらってしまったのは、間違いだったかもしれないと思った。

「すみません、今日はちょっと――」

「だって、彼氏はいないんだろう？」

「――彼氏のいない女の子の友人ばかりで、今夜はパーティーをしようって約束してるんです」

夏季は急いで取り繕うようにそう言うと、できるかぎり明るい笑顔を浮かべた。

「そうだ、せっかくいただいたんだから、この鉢をおみやげにもって行こうかしら」

店長は、小首を傾げ「ふうん」と言いながら、にこにこと夏季を見ている。

「じゃあさ、こういうのはどうかな。その友達をびっくりさせるっていうの」

「びっくり？」

夏季は、自分とたいして身長の違わない店長の、色あせたジーパンの足元を見ていた。

「俺がさ、車でそこまで送っていくよ。それで、彼氏ってことにして、友達をからかうっていうの、面白いと思わない？」

「あ、いえ、そんな」

「遠慮することないよ。実はさ、俺、今夜は予定を入れてないんだ——ひょっとしたら夏っちゃんが誘いを受け入れてくれるかもしれないと思ってさ」

店長は、ちらり、ちらりと夏季を見ながら、ニキビの痕の残る頬を寒さのせいだけとは思えないほどに赤く染めている。夏季は急激に気分が重くなるのを感じながら、愛想笑いを浮かべて立っていた。店長は「ははは」と乾いた笑いをもらすと、艶《つや》のない髪を手で撫でつけ、上目遣いに夏季を見た。

「俺さ、実はね、何度か夏っちゃんの跡についていってたことがあるんだよね。その、ゆっくり話せないかな、なんて思って」

「——え？」

頬に浮かべていた笑みの名残りが凍りつくのが分かった。

「夏っちゃんて、案外早く歩くんだよね。それでさ、一度なんか先回りして、ホームで待ってたこともあるんだけど。その時なんか、夏っちゃんは反対側のホームに現われてさ」

「私の、跡をつけたんですか」

もう少しで「どうして」と食ってかかってしまいそうだった。だが、夏季の顔も見ず、店長はしきりに髪を撫でつけながら照れて笑っている。

「前にさあ、夏っちゃんのことを聞いてきた人がいたんだよ。『三田村夏季という人が働いていないか』ってね。俺の幼なじみにも『なつき』っていう子がいたからさ、その子のことかと思ったらね、『夏季《かき》休業の夏季』だって言うんで、違う人だって分かった。俺の幼なじみはひらがなだからね。名字も全然違うしさ」

夏季は頬を染めたままでぺらぺら話し始めた店長の顔を見つめていた。

「それ——いつのことですか。私、全然聞いてませんけど」

「それがさ、おかしいんだよ。夏っちゃんが来る前の日のことだったんだよ。だからさ、夏っちゃんが自分の名前を言ったときに『ああ、この人か』って思った。その時に、俺ね、ぴんと来るものがあったんだよね。夏っちゃんが俺のところに来たのは、運命だったんじゃないかって」

夏季は背中に悪寒が走るのを感じながら、ただポインセチアの鉢を抱きかかえていた。

「本当はね、もう少ししてから告白しようかと思ってたんだけどさ、おふくろが、また見合いの写真なんか預かってくるし、やっぱりクリスマスっていうのは、こう、ロマンチックな気分になるだろう？　俺ねえ、実はさ、ホテルも——」

「和也さん、表、しまいましたよ」

その時、アルバイトの横山が顔を出してくれたから、夏季はその間にそそくさと帰り支度をしてしまった。何か言葉にすれば、感情的になってしまいそうだった。けれど、店長を責める理由はどこにもないこともよく分かっている。「急ぐから」と言うと、店長は慌てて何か言おうとしていたが、ちょうど電話がかかってきたので、夏季はその間に店を後にした。

「そんな人が訪ねてきてたのは覚えてないけどさ。俺、和也さんにその気があるのは、勘づいてたけどね」

今日は珍しく横山が「駅まで一緒に」と言ってくれたから、偶然にしてもありがたいと思っていたら、彼は夏季が店長に何か言われて困った顔をしていたのに気づいて、助け船を出したのだと分かった。

「憂鬱になるわ、仕事先で、そういうことになるのって」

夏季は、ポインセチアの鉢を下げながら、自分よりもはるかに年下の、青年というよりも、まだ少年のような雰囲気の残る横山の隣を歩いた。横山も、夏季に便乗して、もらって帰ることになった鉢をぶら下げて歩いている。

「別に、嫌な相手じゃなかったら、いいんだろうけどね。三田村さんの好みじゃないんだろう？」

「悪いけど――まあねえ」

夏季が複雑な表情のままで眉を動かして見せると、横山は弾けるような声を出して笑った。その声を聞いた途端、夏季は言葉にならないほどの寂しさが胸の底から滲《にじ》み出るのを感じた。

ああ、これが若さというものなのだ。

理屈でなく、笑い声一つで、ただ隣を歩いているだけで伝わってくるエネルギー。こんなに溌剌《はつらつ》として温かいものを身近に感じたのは、久しぶりのことだった。

――もしも、その場限りの慰めが欲しいというのなら、こういう子を相手にした方が、まだいいのかもしれない。

「どうぞ」

ぼんやりと歩いていると、駅前で再びティッシュを配られた。相も変わらず同じ店のダイヤルQ2のものだった。

「はい、鼻でもかんで」

そのまま少し離れて歩いていた横山に差し出すと、横山は「まぁた、もらったの?」と笑っている。

「よっぽど、つまらなそうな顔して歩いてるのかしら」

「そんなことないよ。向こうは仕事で配ってるんだから、相手の顔なんかいちいち見てないって」

横山は「サンキュ」と言いながら夏季からティッシュを受け取り「電話でもしてみっかな」と言って笑った。

街はクリスマス一色に彩られ、共に過ごす相手さえいない人間などは、弾き出されそうなほどに賑わっている。

「三田村さん、本当に彼氏いないの？」

「いないわ」

「俺じゃ、ちょっと役不足だもんな」

「お気持ちだけ、ありがたくちょうだいしておきます」

改札口で別れる時に、夏季は横山とそんな話をして、子どものように手を振って別れた。ついさっき、ほんの遊びならば、横山のような相手の方がずっと手軽だなどと思った自分に恥じ入り、ホームへの階段を人にぶつかられながら上った。

15

十二月二十四日　午後十一時五十分

摩衣子は、カウンターの中の木下の顔をちらりと見ながら、いま席についたばかりの小田垣に向かってグラスを掲げた。小田垣は、いつもの静かな表情のまま、黙って摩衣子のグラスに自分のグラスを近づける。ちん、と透明感のある音が微かに響いて、小田垣はそのグラスを口元に運ぶ。

「クリスマスだっていうのに、こんなに遅くまで大変ね」

「それは、お互い様さ。君だって仕事をしている」

小田垣は、いつものアルマニャックを少量飲み下すと、小さくため息をついた。右手の中指をたてて、こめかみを軽く押えながら、彼は表情だけは静かだった。

ママは、小田垣が席に座ると一言挨拶に来ただけで、あとは「お願いね」と摩衣子に言い、再び奥のボックスのほうで二人連れの客の相手をしている。

摩衣子の勘では、その客のうちの一人、高田とかいう男が、ママのパトロンらしかった。働き始めて日の浅い摩衣子は何も聞かされてはいないし、今のところ摩衣子の方からも、木下や他のホステスの女の子に対して、店の経営について何かを尋ねたことはない。もともと、そんなことにはそれほど興味もなかったし、ただでさえ無理やり働かせてもらっているうえに、妙に経営の内情にまで興味を抱いては不審を抱かれる可能性があったからだ。

今のところ摩衣子は、ママが小田垣につかなかったことを内心で喜ぶだけで十分だった。物静かな客は、摩衣子に特に何かを話しかけるでもなく、一人でグラスを傾けているのが好みらしかった。全身に明らかに疲労を漂わせている小田垣は、手の中でグラスをゆっくりと揺らしながら、隣の摩衣子の存在さえ忘れているように、一人で宙を眺めている。

「お疲れみたい」

「まあね」

「大変なお仕事ですものね」

摩衣子の言葉に、小田垣は鼻から大きくため息をついた。

「そうでもないがね――まあ――」

「――まあ?」

「何でもそうさ。なかなか、思い通りにはいかないものだ」

「――小田垣さんらしくないお言葉ね」

小田垣は、今度は返事をしなかった。

摩衣子もそのまま口をつぐみ、静かに流れるジャズに耳を傾けることにした。沈黙の重みに負けるまいと自分に言い聞かせ、程良い緊張状態を保とうと心がけながら、外からはのんびりと、リラックスして見えるように、カウンターの周囲を見回す。本当は、カウンターの内側で木下が苛立っていることも知っていた。

もともと、多くて二人連れ程度の客がほとんどの「バー・マリエ」だから、こんな日の夜更けにやって来る客は多くはないだろうということで、彼はさっき誰かと電話で待ち合わせをしていたのだ。ちらりと小耳に挟んだだけだが、相手が女性で、深い関係にある人らしいということだけは分かった。彼は、ホテルのルーム・ナンバーらしいものを聞き出し、最後に「何ていう名前で泊まってるの」と聞いていた。

だが今、木下はいつものポーカー・フェイスで黙々とグラスを拭いている。おそらく腹の中では最後に入ってきた小田垣に呪いの言葉を吐き、いつまでも看板にしようとしないでパトロンと話し込んでいるママと、今夜に限って現われたパトロンにも恨みつらみの言葉を投げながら、彼は叩き割りたいはずのグラスを馬鹿丁寧に磨いていた。

あまり長い沈黙も疲れるものだと思って、摩衣子は隣の小田垣に向かって顔を上げた。

「何でも思い通りになると思っていたのは、サンタクロースを信じていたころまでかしらね」

「今でも、そう思っている奴もいるだろうさ」

「そう？　大人で？」

「そんな奴に限って、表面上はしごくまともに見えたりする」

小田垣は口元をわずかに歪めて、笑顔とも呼べない程度の顔を向けてくる。

摩衣子は少しの間その顔を見つめ、それから声の調子を変えた。

「クリスマスが来ちゃうと、もう来週は来年なんだものね」

「慌ただしいばかりだな」

「でも私、クリスマスは何とも思わないけど、この季節は好きよ。普段、難しいことを言ってる人が、たかだかカレンダーが新しくなるだけで、右往左往するのは滑稽《こっけい》だわ」

店は、カウンターの内側だけはある程度明るくなっているが、あとは全体に水槽の底にでもいるようなほの暗さに満ちていた。黒に近い紫を基調とした店内には、いつものジャズが流れ、ただでさえ遠く低い人の話し声を音の波間に消してしまっている。深く、暗い店内で、ただ一つ、カウンターの隅に置かれたポインセチアだけが、唯一命を与えられた生き物のようにぽっと赤く浮かび上がっていた。

その時、入口の扉ががたん、と何かがぶつかったような音をたてた。ついで、少し前に流行ったドラマの主題歌を歌う、数人の男の声が聞こえ、「馬っ鹿野郎、大丈夫かよ」などという声が聞こえた。素早くカウンターから出て様子を見にいっていた木下が、静かな表情のままで戻ってきた。

「酔っぱらいの学生が転んだんですよ」

カウンターから木下の方を見ている摩衣子に向かって、彼は皮肉っぽい笑みを浮かべて言った。

「何かと理由をつけちゃあ、ああやって飲んで歩いて。のんきなもんだよ、学生は」

「いいじゃない、クリスマスに一緒に過ごしてくれる彼女もいないような子たちなんでしょう」

摩衣子も笑みを返し、「ねえ?」とでも言うように小田垣を振り返った。ところが、振り返ったところにあったのは、小田垣の驚いた顔だったから、摩衣子は怪訝に思って小首を傾げて見せた。

「なあに」

「君の、その髪の」

「ああ、やっと気がついてくださった?」

摩衣子は顔をほころばせて、首を傾げたままの姿勢で、髪に手をやった。今夜の摩衣子は、髪を後ろで小さく一つにまとめ、シニョンに小さな白い花をあしらっている。

「エランギス、だったかな」

「やっぱり。小田垣さん、すごいわ」

摩衣子はポケットから小さくたたんだ紙を取り出して、開いて見る。

「書いておかないと忘れちゃうと思って。エランギスのね、シトラータっていうのね。どう？　いい匂いでしょう」

それは、純白の小さな花が一本の茎に数個咲いている、小さな種類の蘭だった。小田垣は摩衣子に後ろを向かせて、熱心に花を眺めているらしい。小田垣に背を向けたままの姿勢で、ちらりとカウンターのほうを見ると、木下が意外そうな、面白くもなさそうな顔で小田垣の様子を眺めていた。

「それほど難しい種類じゃないが、空中湿度を高くしてやらなきゃならないから、普通の家ではそれなりの設備がなければ駄目なんじゃないかな」

小田垣はなおもしばらくの間は熱心に花を見た後で、ようやく口を開いた。摩衣子は、小田垣の手が自分の髪に飾られている小さな白い蘭に触れるのを微かに感じるたびに、全身に電気が走るような気がした。

「小田垣さん、本当に蘭がお好きなのね」

カウンターに向き直ってから摩衣子が言うと、小田垣は疲れた顔のままではあったが、目元だけはずいぶん和らいだ表情で「まあね」と答えた。

「よかった。飾ってきた甲斐《かい》があったわ」

「どうして、今夜僕が来るって分かった？」

「勘よ。女の勘」

「また、占いにでも頼ったかな」

「だから、私の占いは当たるって言ったでしょう？」

摩衣子の言葉に、小田垣はなおも穏やかな表情でうなずいていた。

「よかった。やっとご機嫌がよくなったみたい」

「もともと、悪くはないさ」

「でも、いいっていうお顔でもなかったわ」

言いながら、摩衣子は再び髪に手をやり、簡単に髪に差し込んであっただけのエランギスの茎を抜き取った。そして、それをそのまま小田垣の背広のポケットに差し込む。小田垣は、意外なほどにおとなしく、されるままになっていた。

「メリー・クリスマス」

ポケットの上から軽く手で押えながら、小田垣の顔を見上げると、小田垣がわずかに目を細めてこちらを見ているところだった。

「初めて君がここへ来た時、僕にどこかで逢ったかって、聞いたね」

摩衣子は、そのままの姿勢で小田垣の顔をのぞき込みながら「ええ」と答えた。

「どこで、逢ったと思ったのかな」

「小田垣さんは、どこかで私に逢ったことがあるの？」

小田垣の目が再び細められ、それから、ため息と同時に「いいや」という言葉が洩れる。その返事を聞いて、摩衣子は姿勢を元に戻しながら笑顔になった。

「小田垣さんにないんなら、私にもないのよ。あの時は必死だったから、藁《わら》をも摑みたい気分だったし」

小田垣は、「そう」と言いながら静かな表情で摩衣子から視線を外し、自分の胸元に飾られた小さな花を眺めている。

「それとも、どこかで逢ったことにした方がいい？」

摩衣子は、ついさっきまで自分の髪に飾られていた花と小田垣を交互に眺めながら、上目遣いに彼を見上げた。小田垣は、わずかに眉を動かし、それからグラスを唇につけた。

「別に、そんな必要もないだろう」

「そうね。ここでお酒を飲むのに、不都合があるわけじゃないんですものね」

摩衣子も自分のグラスを空け、思わずため息を洩らした。既に零時を回り、イブの晩は、それなりに静かに過ぎ去ってしまった。ふと、まさかこんな形でクリスマスを過ごすことになろうとは、思ってもいなかったと考えた。

16

十二月二十七日　午前十一時十五分

渋沢航《わたる》は、今日も不機嫌そうな顔で、足早に廊下を歩く。小田垣は、その隣を並んで歩きながら、この男の不可思議なパワーのようなものを感じていた。それは、取りようによっては、不気味にさえ感じられるエネルギーだ。彼は小田垣とはまったく違う頭の回路を緻密《ちみつ》に働かせ、小田垣の持っていない知識を駆使して、小田垣の知りえない世界に何かの結論を見出そうとする。

つい今し方、彼は小田垣の依頼を受け、幹部会議に出席して、監察医としての彼の考えを述べた。

つまり、一連の殺人事件は、特殊な薬物による毒殺ではなく、カリウム溶液などによる殺人ではないかという、先日小田垣が聞かされた考察を、改めて、他の警察幹部の前で披露したのだ。

普段、学生への講義で慣れているためか、渋沢の説明は要領よくまとめられており、淡々とした口調と、分かりやすい言葉とで、理解しやすいものだった。

「検査の結果がかんばしくない以上、私はこの可能性が非常に確実性の高いものであると、日増しに考えるようになりました。だとすると、犯人は医学、薬学関係者、またはそれを学んでいるもの、学んだ経験がある者である可能性が高いということになります。たとえば注射一つにしても、未経験の者に、そう簡単にできるものではありません。ですが、これが、もしも本当に医学を目指しているものであるとしたら、非常に倫理から外れた行ないと言わなければなりません」

――彼の言葉には熱がこもっていた、必要以上と思われる程に。

会議に出席している幹部の中で、小田垣一人が、まったく違う方向に考えを推し進めようとしていた。だが、それはまだ、小田垣一人の胸のうちにあることだ。慎重にも慎重を重ねて、小田垣はすべての条件を整えるまではこのことを誰にも言わないつもりでいる。

年内解決を目指していたにもかかわらず、現実の捜査は完全に行き詰まってしまっていた。

捜査本部としては、一連の被害者は、全員がダイヤルQ2で知り合った見も知らぬ男とホテルで落ち合う約束をし、その結果、事件に巻き込まれたのではないか、という見解を固めつつある。それすらも確証があるわけではなかったが、被害者の持ち物や自宅を捜索したところ、いずれからも同じようなダイヤルQ2や、パーティー・ラインの広告が入ったティッシュ・ペーパー等が発見されており、彼女たちの自宅の電話の通話記録を調べても、かなりの回数、ダイヤルQ2を使用していたことが分かったところから、そのような推測が成り立ったのだ。

だが、そこまでは分かったとしても、ダイヤルQ2を利用している無数の男性の中から、たった一人の殺人犯をどうやって探し出したら良いか、ということになると、途方もない話になってしまう。プライバシーの保護ということもあって、ダイヤルQ2にかけられてきた電話は、すべてコンピューターによって自動的に相手とつながるようになっている。テレクラのように他人に顔を見られたり、また会員番号があるわけではないし、ましてや、公衆電話からでも電話はできるのだから、毎日何百とつながる回線のすべての電話番号を調べえたとしても、果たしてそこからどうやって網の目を狭めたらいいかという問題になる。

そんな雲を摑むような話ではなく、もっとほかに手がかりはないのか。もっと確実に犯人の的をしぼれる目撃証言なり、見落としていた手がかりが摑めないか。現在のところ、捜査の主流は確固たる証拠を求めて地道に動く方向に主力が注がれていた。

「電話、か」

渋沢は、今の幹部会議に出席して、捜査本部がダイヤルQ2による犯行という見方を強めているということも知ったはずだ。

――それを知って、この男は何か動きを見せるだろうか。

「電話、か――」

渋沢はもう一度、今度はため息交じりにつぶやく。

「どうしたんです」

小田垣が聞くと、渋沢は「いや」と言いながら一瞬慌てた表情になり、それからすぐに「ただね」と苦虫を噛み潰したような顔に戻った。

「実際、今の世の中は便利になったのか不便になったのか、分からなくなることがありますね。電話だって便利な道具ではあるんだが、ひょっとしたら電話に支配されているのはこちらじゃないかという気分になる」

「今や、歩きながら電話している人もいるくらいですからね」

小田垣もゆっくりと答えた。

「世の中がどんどんと多様化してくれれば、犯罪も多様化する。解決の難しい凶悪犯罪も増えるんじゃないですかね」

小田垣は、以前、渋沢が女の事務員に小言を言われていた時のことを思い出していた。あの時、渋沢はQ_2を知らないと言った。これだけ巷に宣伝が溢れ、青少年に与える影響云々《うんぬん》で、新聞などでも取り沙汰されているものを知らないはずがないのではないか。

「どうです。コーヒーでも飲んでいきませんか。この近くにうまいコーヒーを飲ませる店があります」

腕時計に目を落としてから小田垣が言うと、渋沢は少し意外そうな表情になったが、自分も時計を見てから頷いた。

「今日はまだ一杯も飲んでなかったな」

曇っているというよりは、細かい傷が無数についているらしい眼鏡のレンズの向こうにある目が、意外なほど嬉しそうに輝くのを見て、小田垣は渋沢が自分に対して何の警戒心も抱いていないことを確信した。できる限り彼をマークしていれば、渋沢は自分の方からボロを出すかもしれない。

「渋沢さんは、どうして解剖医になったんです」

喫茶店で向かい合うと、小田垣は、嬉しそうな顔でエスプレッソを飲んでいる渋沢を見た。

「ちゃんと医学部を出ているんだし、臨床の方が、収入だっていいんじゃないですか」

「小田垣さんは、どうして警察に入ったんです。ほかにも役所なら山ほどあるのに」

逆に質問されて、小田垣は少し考えた。もともと、質問に質問で答えられるのは好きではない。だが、いま大切なのは、彼に警戒心を抱かせないことだ。

「日本から犯罪をなくすため、なんて言わないでくださいよ」

渋沢の言葉に、小田垣は微かに笑いながら、自分もブレンドをすすった。苦みよりも酸味の方が強い、この店のブレンドが、小田垣は気に入っている。

「もちろん、そういう意気込みだって、かけら程度は持っているつもりですがね」

小田垣がにやりと笑うと、渋沢もカップに向かって半ばうつむいたまま、口元だけでにやりと笑って返す。

「国家権力への憧れですか」

「憧れというのとは違いますね。だが、興味はあった。治安と犯罪のうえに生まれる権力というものに対してね」

言ってしまってから、軽率だっただろうかと思ったが、渋沢はそれほど興味もなさそうな表情で、ただ頷いているだけだった。

「そういえば、尋ね人はどうなりました」

一度申し出を断わられている渋沢は、気むずかしい顔で深々とため息をつきながら、首を振るだけだった。

「暇を見つけて、自分で探すことにしました」

「そんな暇があるんですか」

小田垣の言葉に渋沢は不愉快そうに眉間に微かな皺を寄せる。

「まあ、いいんですよ。これは僕個人のことですから。時間をやりくりして、自分で動くしかないいんだっていうことは、十分承知していますから」

「いったい、そこまでして誰を探したいんです」

「――――」

渋沢は、突然口をつぐみ、エスプレッソをぐいと飲むと苦々しい表情で首を振って見せた。

「いいんです。警察にご迷惑はかけません」

「仕事はしなきゃならない、人は探さなきゃならないじゃ、あなたも大変だな」

「僕は、小田垣さんみたいに仕事だけで生きてるわけじゃないですからね」

大人げないとも思えるような言い方で、渋沢はふてくされた顔になる。小田垣は、そんな言葉をこれまでにも幾度となく投げかけられてきた。だが、この渋沢に言われると、奇妙に反発したい気分になる。

小田垣は努めて柔らかい表情を作って渋沢を見た。

「僕だって、ほかのことも考えますよ」

わざと余裕を見せるように言うと、渋沢はお義理のように「ははあ」と興味のなさそうな声を出す。

「たとえば、どんなことです」

「まあ、いつも飲みに行く店の女の子のこと、とかね」

「へえ、小田垣さんでもそんなことを考えることがあるんですか」

「私だって聖人君子じゃありません」

「そりゃあ、そうでしょうが」

いまや小田垣は、渋沢が今度の事件にかなりの程度で関わっているのではないかと、無謀とも思える推理を立て、少しでも彼に近づいて、彼が何らかの行動を起こすのを待つつもりになっていた。彼は何か隠している、何かの鍵を握っているという考えは、日増しに確信ともいえるほどのものに成長している。

それにしても、渋沢を油断させようとして出した話題にしては、自分でも意外なほどに陳腐なものになってしまった。なぜ急に、あの女のことを思い出したのか、自分でも不思議になる。

「色気のある話ですか。それとも、何かの事件絡みか何かで？」

「いや――ただ少し、気になる女の子だっていうだけですがね」

ショパンのピアノ曲が流れる店内に、突然大きな笑い声が響いた。それが渋沢のものだと分かるまでに、少しの間時間がかかった。何しろ、渋沢はいつもぼそぼそと話すばかりの男だったから、店内の空気を揺らすほどの大きな声を聞いたことがなかったのだ。

「小田垣さんがねえ、へえ」

心の底から楽しそうに笑われて、小田垣は複雑な心境になった。人に笑われる不快感よりも、心に屈託を抱えた人間にしては、あまりにも晴れ晴れとした笑い方なのに、意外な気がした。それに、奇妙にくすぐったい感覚があるのだ。なぜ急にあの女のことを思い浮かべたのか、そちらのほうに神経がいった。

「今度、一度僕にも見せてくださいよ。どんな女の子なんです」

「普通の子ですよ。普通のホステスです。まあ、多少は話が分かるかな、という程度でね」

「じゃあ、どこが気になるんです」

「さあ――どこかな」

渋沢は、まだ笑いが完全に納まらない様子で、くっくっと笑い続けている。

――そうだ、確かにあの女が気にかかっている。

少し考えれば自分の心の動きくらい、簡単に理解することができる。話の接ぎ穂に出したつもりの話題だったが、小田垣はこれほど笑われることも、さほど不愉快にも感じずに、黙ってコーヒーを飲んでいた。

「小田垣さんが、ホステスに、ねえ」

ついさっきまで、会議の席で学者らしい表情を見せ、人が見つからないと言っては気むずかしい顔をしていた男とは思えないくらいに、渋沢は笑い続けていた。

「そんなに、おかしいですか」

「いや、すみません。愉快なだけですよ。それに、少し安心したかな」

渋沢の笑顔には、まだ幼さささえ残って見えた。

——安心してくれて構わない。そうだとも。あの女が気になっている。あのホステスが。

「是非、一度会わせてくださいよ。見てみたいな、是非」

「じゃあ、近いうちにお誘いしますよ」

「頼みます」

これでまた渋沢と接触する機会が増えるだろう。それに、彼女に会わせておくのも、面白いことになるかもしれない。小田垣は、いつになく穏やかな笑みを浮かべながら、渋沢の笑顔を見ていた。

17

十二月三十日　午前十時半

窓の外を師走の街が流れていく。

故郷への、はやる気持ちを満載し、もうもうと煙草の煙が流れている新幹線に揺られて、夏季はただひたすら窓の外を流れる街を眺めていた。

ほんの一瞬だけ目に入った、見知らぬ街の見知らぬ道に沿って建つ家の門口にも松飾りが見られ、一家総出で大掃除をしている家、早くも西洋凧《だこ》を引っ張って走る子どもの姿が、瞬く間に後ろに飛んでいく。

「こだま」は網棚に色とりどりの鞄を詰め込み、通路にも車両の間にも人が溢れて、満員電車と同じ状態だった。

「ほら、ああ、もう！　ちゃんと、座ってなさいっ！」

後ろの席で母親が子どもを叱《しか》る声がする。夏季の隣に座っていた中年の男が小さく舌打ちをしてため息をつき、ぐいとビールの缶を傾けた。

夏季はそれらのものを見るでもなく見、聞くでもなく聞きながら、思わず小さなあくびをもらした。今夜こそ、少しはゆっくりと休みたいものだと思う。

とても正月を迎える気分ではなかったけれど、それでも夏季がこの年の瀬にきて、一つだけ気持ちに余裕を持てるのは、両親がそれなりの財産を残してくれたおかげだった。ついに、この世に頼るものさえなくなってしまった夏季にとって、今や頼ることができるのは、両親が残してくれた遺産と保険金だけだった。そのおかげで、あれほど職を転々としながらも、実はそれほど生活には困ってはいない。

がやがやとした雑音と熱気をはらんで、細長い車両は幾つもの人生を西へ西へと運び、やがて静岡を抜けて豊橋に着いた。夏季が席を立った瞬間、通路に立っていた若い母親が、素早く自分の手荷物を夏季の座席に投げた。

豊橋で降りると、外の空気は東京よりもかなり冷たく、ぴんと張りつめて感じられた。十月に来たときには、まだずいぶん暖かかった。今は乾いた風が吹き抜けると、身体の芯《しん》までかじかむような気がする。

足早にＪＲの改札を抜け、見慣れた風景を横目で眺めて、ひとまず花屋を探す。正月花や注連飾《しめかざ》りで賑わう花屋で、あまり大きくない花束を二つ作ってもらうと、夏季はそのまま豊橋鉄道の駅へ向かった。

小さな、古ぼけたプラットホームには、すでに二、三人の客が、短い単線が入ってくるのを待っていた。強い風が吹き抜けて、花を包んである白い紙ががさがさと音をたてる。思わずコートの襟を立てながら、夏季は自分が既によそ者になってしまったと感じていた。

——それはそうだわ。帰る家があるわけじゃない。もう、七年もたつんだもの。

夏季は線路の錆《さび》が飛んで、何もかも赤茶けて見える看板を何げなく眺めながら、はるか昔の、高校時代のことなどを思い出していた。

アルバイトの帰りに、夜更けの電車を待ったこと。友人と映画を観に来た日のこと。下校途中でパフェを食べに立ち寄ったパーラーのこと。この駅の風景は、その頃とどこも変わらないように思える。

冬休みに入り、沿線の学校に通う学生たちの姿も見えない電車はすいていた。夏季は箱型の席に腰掛け、冬の陽射しに照らされている町並みを一心に眺めていた。一見すれば町の輪郭は変わらないように見えるが、それでもちらちらと新しい家が建ち、遠くには見慣れない高層ビルのようなものも見えて、町は少しずつ表情を変えている。

終点の、三河田原《みかわたはら》の駅前は、相変わらずひっそりとしていた。時折車が通り抜けるが、人の姿はあまり見受けられない。けれど、駅前の角にある玩具店も相変わらずで、ウィンドウに飾られているものまでが同じように感じられる。タクシーに乗り込み、行き先を告げると、運転手は人の好さそうな顔で「里帰りですか」と聞いた。

「やっぱり、正月くらいは田舎がいいでしょう、のんびりできて」

「ええ――変わりましたね、この辺りも」

「人が増えてるわけじゃないんですがね、建物が変わりましたね。いずれ皆、新しい方へ移るんじゃないかね」

昔からの商店街とは線路を挟んで反対側に、新しい町ができ始めている。畑がつぶされ、宅地が造成されて、新しい家やマンションが建ち始めていた。きれいな新しい町ができれば、人々の生活様式も変わっていくだろう。故郷は、確実に夏季の知らない風景を抱き始め、夏季をこの土地から遠ざけていく。

そう思うと、ここでも夏季はやはり頼りない寂しさを感じないわけにいかない。そして、同時に胸を締めつけられるような息苦しさが徐々に襲いかかってくるのだ。思い出したくもない、ありとあらゆる光景が走馬灯のように蘇ってくる。

――時を戻せるとしたら、いったいどこまで遡《さかのぼ》ればいいだろう。七年前？　十年前？　それとも、私が生まれる前なのだろうか。

なだらかな丘陵地帯を滑るように走りながら、夏季はこみ上げてくる思いを少しでも鎮めたくて、幾度か大きく深呼吸をした。右手には、かつて水底から古代の遺跡や土器などが発見されたことがあると聞いたことのある沼が見えている。ところどころに、風避けの木立に囲まれた家が点在し、あとは野菜の畑、養豚の小屋、そしてサイロ、ガラス張りの温室などの連なる、柔らかく静かな風景が続いている。これが、夏季の故郷の風景だった。

18

一番古い記憶は、三歳の時のものだ。

その時に自分が三歳だと自覚していたわけではなく、後から考えて、あれは三歳の時のことだったと分かったことだが、淡い光に満ちたその記憶の断片を、今もはっきりと思い出すことができる。

黄色いカーディガンの襟元から、真っ白いブラウスの襟を見せて、女の人が温室にいる。髪はあまり長くなく、緩やかに波打っている。顔は、穏やかに微笑《ほほえ》んでいるように見えるのだが、それは、後から自分でつけ足した記憶かもしれない。とにかくそこには柔らかい光が満ち、空気の動かない、時の止まったような世界だった。女の人は、いつでもその明るい部屋にいたように思う。

ふいに、女の人は、一つの鉢植えを地面に叩きつけた。

大きな、青い鉢を持った手をゆっくりと顔の前まで上げ、それまでの穏やかで静かな動きからは想像もつかないくらいに、激しく、素早く、その鉢を叩きつけたのだ。

がちゃり、という耳障りな音が、それまで辺りを包んでいた静寂を破り、光を震わせた。地面に、植木鉢の破片と土が飛び散り、植えられていた植物が怪我人のように横たわっていた。

「ああ、触ったら駄目って言ってるのに」

ぼんやりと地面を見おろしていると、頭の上から人の声が聞こえ、顔を上げれば、女の人の顔が間近に見えた。何のことだか分からなかった。鉢を落としたのは女の人ではなかったのか。

「あぁあ、割れちゃった」

繰り返し、その女の人は言った。まるで、自分ではなく、傍にいた私が割ったような言い方だった。けれど、確かに私は見ていた。割ったのは女の人だ。私は、ただ見ていただけだった。

——どうするの、お父様に叱られるわ。

——きっと、うんと怒るわよ。

——あやまりなさい。

——あやまりなさい。

混乱の渦が襲いかかり、目の前の鉢の破片がくるくると回って見えた。耳の中が人の話し声で一杯になってしまい、光が散乱して見えた。遠い記憶は、夢のように不確かで淡く、頼りないものだった。

けれど、それは夢ではなかった。今にして思えば、あれは私の母で、自分で鉢を割りながら、幼い子どものせいにしたのだった。

その後、父に叱られたかどうかは記憶にない。ただ、静寂が急に破られ、幼さゆえに、言い訳をすることにも、相手の嘘を追及することにも考えが及ばず、混乱していたことだけが残っているばかりだ。

あの女の人は、その後すぐに見かけなくなってしまった。彼女こそ、自分の本当の母親だと知ったのは、もっとずっと後のことだ。

私にとっての母といえば、私のことなど見向きもせずに、弟や妹ばかりを可愛がる存在だった。誰かの口から、その女が実の母親ではないのだと聞かされたとき、奇妙に納得したことを今も覚えている。

父もまた、先妻の子どもには冷淡なものだった。

「そんなに身体が弱くては、父さんの後を継がせるわけにはいかないぞ」

一人、部屋で寝込んでいると、時折、父はドアの隙間から顔をのぞかせて、そう言った。そんな時の父は光を背に受けて立っており、顔さえはっきりと見ることはできなかった。父は、それ以上に近づいてくることはなかった。

実際、私はひ弱な子どもだった。何日かに一度は必ず床に着き、そんな時は、ひがな一日、ぼんやりと天井を眺めて過ごした。

食事のたびに枕元まで粥が運ばれたが、口元まで運んでくれる人はいなかった。手伝いの女が、たまに顔をのぞかせたが、私はその女を嫌っていたので、眠ったふりをしてやりすごした。外の廊下や階下を幼い異母弟や異母妹がはしゃぎながら駆けていく音を聞きながら、私は一人で冷めた粥をすすった。

世界中のすべてのことは、私とはまったく無関係に動いていた。どこに行っても、私は自分がいるべき場所を見つけられず、自分が完全にすべてのものから切り離されていると感じるばかりだった。

ある晩のことだった。

それは幼稚園の頃だったと思うが、その日も私は熱を出し、義母に嫌みを言われながら幼稚園を休んだように思う。

昼間からずっと寝ていたから、夜になって目が冴え、微熱のために耳ざとくもなっていて、階下の物音がいつになく気になって仕方がなかった。それは、不規則で、耳障りで、時折、驚くほど大きな音ががたんと混ざった。私は、ついに我慢しきれなくなり、そっと布団から起き出して、廊下に忍び出た。

熱っぽい足に、廊下のひんやりとした感触が心地良かった。音をたてないように階段を降りるにつれ、がたん、どすん、という音と、激しい息遣いが聞こえてきた。

「——許して——ぶたないで」

奥の居間から、はあはあという息遣いとともに、消え入りそうな声がした。そっと近づくと、襖《ふすま》の隙間から光が洩れて、一本の金色の筋が廊下に投げかけられていた。

「おまえに、そんなことを言う資格があるのかっ！」

私は金色の筋を顔に受けながら、襖の隙間から居間をのぞき込んだ。そこには、仁王立ちになって肩をいからせている父と、自分の頬をおさえながら四つん這いになっている義母の姿があった。

「謝るわ。謝るから——」

「うるさいっ！　誰に向かってものを言ってるのか、思い知らせてやる！」

父は、義母の肩を無理やり起こし、自分に向けると、義母を殴った。義母は喉の奥から空気が洩れるような音を出し、大げさに脇の簞笥《たんす》にすがりついた。がたん、という音がして、簞笥の上の頭でっかちのこけしがぐらぐらと揺れた。

私は、そんなに面白いものを見たことがなかったので、足元から身体が冷えていくのも忘れて、夢中になって二人の姿をのぞいていた。

あの女が、普段むすっとして、私とは滅多に口もきかない女が、泣きながら父の足にすがりつく姿は、得もいわれず惨めで薄汚なかった。

「このうえ、何の不満があると言うんだ、ええ？　おまえたちに、食い物のことや着るもののことで辛い思いでもさせてるのならともかく、外で俺が何をしていようと、雌狐みたいに嗅《か》ぎ回る女がいるかっ！」

「だって、だって――」

「そんな、みっともない真似はこんりんざい許さんからな！」

父は、そう言うと自分の足元にからみついている義母の腕をつかみ、無理やり立ち上がらせた。義母は、呻《うめ》き声をもらし、激しくしゃくりあげながら「あなた、あなた」と繰り返していた。そして、急に二人は静かになった。

ひょっとしたら、外にいる私に気づいたから黙ったのだろうかと思い、私はにわかに緊張して、慌ててきびすを返した。いつ襖が開けられ、「こらっ」と怒鳴られるか分からないと思うから、大急ぎで階段を上がった。

部屋に戻る途中、義弟と義妹の部屋の外に、最近義妹が買ってもらったばかりの人形が転がしてあるのが目に入った。私は何げなく人形を拾い、それを持って部屋に戻った。布団に入ってから人形を見ると、金髪の人形は、さっきまで見せていた青い瞳を閉じている。起こすと目を開き、寝かせると目を閉じる、片手を引けば、一緒に歩くという宣伝の人形だった。

私は、わずかに振るようにしかできていない人形の腕を持ち、思い切り振り上げさせてみた。だが、腹の中に機械が詰め込まれているらしい人形は、痛そうな顔もせずに、ただ眠ったふりをし続けている。縁《ふち》にレースのついた靴下と、赤いビニールの靴を履いている足も、思い切り開かせてみたが、やはり思うようには開かない。

「俺の言うことが聞けないのか」

私は、人形の手足を腹立ちまぎれに捻《ひね》り上げた。やがて、人形の腹の中で何かがギチッと音をたて、その途端に、抵抗感がすべて失われて、ふくふくとした腕は、いとも簡単にするすると振れるようになってしまった。

「思い知らせてやる！」

私はもう一度人形に向かって言うと、足も同じように捻り上げてしまった。それでも、人形は澄ました顔で眠ったふりをしていた。

19

十二月三十日　午後二時半

タクシーを降りると、風はほとんどやんでいた。夏季は、すぐ近くに建物の見あたらないような場所でタクシーを止め、多少怪訝そうな表情の運転手に金を払って歩き始めた。話し好きらしい運転手に本当の行き先を告げれば、そこからまたあれこれと聞かれるだろうと思ったから、わざと少し離れたところで降りることにしたのだ。

弱々しい陽射しが澄んだ空気の中で輝き、遠くの低い山まではっきりと見渡すことができる。土と枯草と、それから微かに肥料の匂いや森の匂いが流れてくる。これが夏季の故郷の、正月を迎える季節の匂いだった。

「ただいま」

五分ほど歩いて着いた先は、風避けの木に囲まれた寺の裏手にある墓地だった。

「私よ、妹の方の親不孝娘が帰ってきたわ」

十月に来たときに活けていった花など、すっかりひからびて茶色いミイラのようになっていることだろうと思っていたのに、住職が掃除してくれたらしい。両親の眠る墓は、案外すっきりとしていて、思ったほど汚れてもいないようだった。

「娘が二人とも頼りにならないから、ほかの人がちゃんとしてくれているのね」

夏季は声に出して話しかけながら、豊橋で買ってきた花をひとまず下に置き、掃除を始める前に、軽く手をあわせた。

「でも、今になって考えてみれば、お姉ちゃんのほうが親不孝じゃなかったみたい」

汲《く》んできた水は手を切るように冷たかった。けれど、夏季は用意してきた雑巾《ぞうきん》で、祖父母に続いて、父と母の眠る墓を丁寧に掃除した。

「お姉ちゃんは、どこで、どうしているんだかねえ」

言いながら、どうしても涙が出てくる。やるせない、無念な思いばかりが湧き上がってくる。ここに来るまで、ずいぶん長い間堪《こら》えていた涙が、一気に溢れ出したようだった。泣くまい、泣くまいと自分に言い聞かせて過ごしてきた、この数カ月の間の緊張の糸が、ふつりと切れてしまったように感じる。

「おかしいでしょう？　元気だった時には、絶対にお父さんたちの前で泣くなんて、嫌だったのにね。一人でなきゃ、泣けなかったのに、今は一人じゃ泣けないのよ、やっと、ここに来て泣けたの」

脇に回れば、両親の没年が彫られている。七年前、母はまだ四十七、そして五年前、父は五十六だったのだ。

「二人で話してるんでしょう？　まさか、こんなに親不孝な娘に育つなんて、思ってもいなかったねって。そんな親不孝者が、今さら泣きにきたって、どうすることもできないのにねって。でもね、今さら、どうなるものでもないかもしれないけど、私、諦めないわ」

鼻をすすり上げながら、夏季は掃除する手を止めず、つぶやくように眠っている両親に語り続けた。

「このままで済むはずがないわ。あんなに簡単に人のことを裏切れて、私だけじゃない、家族皆の運命を変えた人間を、私、絶対に許さない」

周囲の雑草も抜き取られ、冷たい水で磨かれて、御影石《みかげいし》の墓は新品のようにきれいになった。夏季は、たち上る線香の煙を眺め、あまり辛気《しんき》くさく見えないように選んだ花を眺めて、ようやく改めて手をあわせることができた。

——待っていて。今度来る時は——来られる時は、だけど——きっと、いいお土産を持ってくる。誰にも邪魔はさせない。必ず、自分の力で何とかしてみせるから。

後から後から涙が溢れてきて、すっかりかじかんだ手の上に温かい滴が落ちる。本当ならば、今年からは久しぶりに穏やかな新年が迎えられるつもりだった。二度と、両親に辛い報告をせずに済むようにするつもりだった。

だが、運命の女神は再び夏季を試そうとしている。家族の中で一人だけ取り残された夏季を、そう簡単に平凡な人生に戻そうとはしてくれないのだ。自分で蒔《ま》いた種は自分で刈り取れと、運命の女神は夏季に言う。

「大丈夫よ。きっと、うまくいく。そのために、私は他の仕事も選ばないでこんなに逃げ回っているんだもの。見つかりそうになったこともあったけど、周りの人にどう思われようと私は逃げ続ける。だから、ね、見守っていてね、自分の未来を捨ててでも、私、絶対に決着をつけるから」

こうして両親の墓に向かい、手をあわせていると、さまざまな顔が浮かんでくる。母の笑顔、父の顔、姉の顔。そして、忘れようにも忘れられない二つの顔——。

「すべてが終わったら、絶対にまた来るわ。できるだけ、早いうちに。だから、待っていて、ね。お父さん、お母さん」

二時間ほども墓地で過ごして、夏季はすべての胸の内を両親に向かって吐き出した。口に出して言いながら、自分の中の迷いや、それまで気づかなかったことに初めて気づいたりして、夢中になって考えをまとめた。

「夏っちゃん？」

弱々しい陽射しが早くも夕暮れの気配を漂わせるころ、すっかり凍えた身体でバス停に向かって歩いていると、急に前から来た車が止まって、エプロン姿の女が顔を出した。

「やっぱり、夏っちゃん！」

それは、幼なじみの妙子だった。軽のバンの助手席に三歳くらいの子どもを乗せて、どこから見てもすっかり落ち着いた母親に見える。夏季は、懐かしさと、少しの後ろめたさを感じて、小さく微笑んで見せただけだった。妙子は慌てて車から降りてきて、懐かしさに満ちた瞳で夏季を見た。

「——ひさしぶり」

「帰ってきたの？　いつ？」

「——お墓参りに来たの」

「もうっ！　全然連絡くれないで、心配してたんだからね！」

幼稚園から一緒だった妙子は、以前よりも少し太って、化粧気のない顔は母親らしい柔らかさに満ちていた。その顔をしかめながら、妙子は夏季の腕を取り、大げさなほどに揺する。心なしか、瞳が潤んでいるようにさえ見えた。

「どこに住んでるかくらい、教えてくれたっていいじゃないよ、もう」

「横浜に、いるの。それより妙ちゃん、ごめんね。結婚式にも出なくて」

言いたくて言えなかった一言を、ようやく何年かぶりに口にすることができた。妙子は「そうだよぉ」と言ってまた顔をしかめる。

「どこにいても、きっと来てくれると思ってたのにさ」

けれど、言いながら、妙子はもう笑顔になっていた。

「旦那にも会ってってよ、ね？」

「そんな——年の瀬に来て、悪いわ」

本当は、幼なじみの幸福な家庭を見るのが怖かった。もしも、自分の中に嫉妬めいた感情が芽生えてしまったら、どうしようという気持ちがあった。結局、いくら誘われても夏季が首を縦に振らないから、妙子は「じゃあ、その辺でお茶でも」と言い直した。

「それに、夏っちゃんに話したいことがあったのよ。バイパス沿いに、新しい店が増えてるの。狭いうえにコブつきで悪いけど」

夏季は、初めて見る妙子の子どもを膝に抱きながら、助手席に座って、幼なじみの運転する車に揺られた。冷えきっていた身体が、ようやく少し温まり始めたころ、いかにも新しい感じの喫茶店に着いた。

「話したいことって、なに？」

熱いミルクティーが冷えた身体の奥を伝って降りるのを感じながら、夏季は妙子を見た。五年も会っていなかったとは思えないくらいに自然に、夏季は昔の感覚のままで妙子を見た。

「実はね、つい一昨日《おととい》よ、夏っちゃんを探してるっていう人が、来たの」

「私を、探してる人？」

妙子はケーキをこぼしながら食べている息子の世話を焼きながら、記憶をたどろうとするように視線を宙に泳がせながら頷いた。

「その人、先月、あ、十月の末だったかな、やっぱり来てね、夏っちゃんがこっちに戻ってるんじゃないかって」

紅茶一杯ではとても身体が温まらない気分だった。背中をぞくぞくと這い上がってくる感覚は、けれど、寒さのせいばかりではない。

「心当たり、ある？」

妙子の言葉に、夏季は目だけで頷いた。

「――どうして妙ちゃんを訪ねてきたんだろう」

「私をっていうんじゃないの。最初は、尾形さんのところに来て。ああ、私ね、いま、パートで尾形さんのところに行ってるのよ」

「尾形さんのところへ？」

そこで、妙子は申し訳なさそうな、半ば寂しそうな顔で視線を逸らした。

「夏っちゃんの家があんなことにならなければね、私は今ごろ夏っちゃんのところでパートができたのかな、とか思うの」

「――いいのよ。気にしないで。尾形さんにはありがたいと思ってるわ。あの時、尾形さんがすぐにうちを買うって言ってくれたから、それで助かったんだもの」

妙子は神妙な顔で「うん」と小さく頷き、コーヒーを一口飲んだ。

「とにかくね、そこへ来たのよ。社長も、私と夏っちゃんのこと、知らないじゃないし、私を呼んだの。それが最初」

夏季の気持ちは再び乱れ始めていた。

――この土地まで来ている。いったい、どこまで追ってくるつもりなのか、いつまで追い続けるつもりなのだろうか。

「本当に知らないから、『知りません』って答えたけど――夏っちゃん、大丈夫なんでしょうね」

「何が？」

「何か、危ないことになってるんじゃないんでしょうね」

夏季は以前と変わらず心配性らしい幼なじみを見た。

「あの辺り、今は、どうなってるの？」

かつて、白い塗料を全体にかけて、直射日光を遮光するように工夫された広大な温室が何棟も続き、そして、折りからの強風にあおられて、瞬く間に炎に包まれてしまった、あの風景が、今もはっきりと思い出される。

「見た感じはね、何も変わってないように見える。全部新しく建て直してね。あんなことがあったなんて、嘘みたいよ」

妙子は、しみじみとした表情で答えた。案外おとなしい妙子の子どもは、膝にこぼれたカステラのかけらを小さな手で一粒ずつつまんでは口に運んでいる。

「よかった。それを聞いただけでも、安心したわ」

夏季はため息をつき、ミルクティーを口に運んだ。

何も変わっていないように見える。

けれど、確かに変わってしまった。住む人が変わり、作られる鉢も新しくなり、管理する人間も変わり、そっくりに見えたとしても、昔の面影の残るものは、おそらく何一つとして残ってはいないのだ。

「尾形さん、ときどき、言ってるよ。『教えてほしいと思うことが、まだまだたくさんあるのに、残念なことしたな』って」

こんな時は、曖昧に笑顔でも浮かべているよりほかに、どうすることもできない。夏季は、ぼんやりとカップの内側に張りついて残っているミルクの皮膜を眺めていた。

「ねえ、夏っちゃん」

妙子はそんな夏季を正面からのぞき込むようにして見つめ、細くて形の良い眉をひそめた。

「もう、自分のことを許してあげてもいいんじゃないの?」

「――」

「誰も、夏っちゃんのこと責めたりしてないよ。お父さんだって、お母さんだって、夏っちゃんの責任だなんて、絶対に思ってないと思うよ」

「――」

「生き残った人間は、せめて自分の幸せを考えた方がいいんじゃないのかなあ。夏っちゃんが不幸せだったら、おばさんたちは一番悲しむと思うんだ」

「――ありがとう」

夏季は諦めに似た気持ちで笑顔を作った。

「姉が知ったら、驚くでしょうね。妹が火事を起こして、田舎で暮らせないようになって、母親も父親も、もう死んでるなんて。婿《むこ》取りなんか絶対に嫌だとか言ってたのに、今や婿を取ろうにも取りようもなくなってるなんて、きっと彼女は何も知らないんだから」

「夏っちゃん――お姉さん、まだどこにいるか分からないの」

「全然よ。二人揃って親不孝で、今、お墓の前で謝ってきたわ」

「そんな――」

妙子は、それ以上言葉が見つからないというように、痛ましい表情のままで夏季の顔を見ている。夏季は、無理と分かる笑顔を作ってミルクティーを飲み干した。

「ねえ、その人がまた訪ねてきても、絶対に私のことは言わないでね。今日のことも。お願い」

「夏っちゃん、本当に危ないことになってるんじゃないんでしょうね」

「心配しないで。私だって、ずいぶん強くなったんだから。いつか、話せる時が来たら、全部話すから」

「――分かった。でも、せめて住所を教えておいて、ね？　こっちから連絡のしようがないなんて、心配じゃない」

妙子の言葉に夏季は少し考えてから、もう一度笑顔を作った。

「もうすぐ引っ越すかもしれないの――落ち着いたら、連絡するわ」

「本当？　約束する？――そのうち、あの人が誰だったかも、ちゃんと教える？」

夏季が笑顔で頷いている間も、妙子は相変わらず心配そうな顔のままで、手だけで子どもの髪を撫でている。そんな仕草も母親らしく見え、薬指の指輪が輝いて見えた。夏季は無意識のうちに左手の親指を手の内側に折り込み、自分の指に指輪がなくなっていることを確認した。

「とにかく、一安心だわ。無事だっていうことだけでも分かったんだもの」

——ごめんね、妙ちゃん。話せる時が来たら、きっと話すから。

妙子に気遣われ、二杯目のミルクティーを飲むころには、夏季の中で一つの新しいエネルギーが生まれ始めていた。

20

あの翌日、義妹は人形がなくなったと、家族中を巻き込んで大騒ぎしたが、誰も私には人形のことを聞かなかった。夜更けに裸足《はだし》で歩き回ったせいか、翌日も熱は引かなくて、私は布団の中で天井を見上げたまま、義妹の泣く声や、義母の金切り声を聞いていた。義弟が悪戯《いたずら》して、人形をどこかに隠したのではないかと疑われて、ひときわ大きな声で泣いているのが聞こえたりした。

それ以来、私は、一人になると箪笥の引出しの奥から人形を取り出し、毎日少しずつ形を変えていった。その引出しにしまわれている服は、「お行儀よく」していなければならないときに着せられる服ばかりだったから、たとえ手伝いの人間や義母が洗濯した下着や寝巻などをしまいに来たとしても、滅多なことでは開かれることのない引出しだった。

最初に、指を一本ずつ切り落とした。爪を切る要領で、はさみで切った。それから、髪の毛を切った。手足をぶらぶらにされた人形の腹の中では、仕込まれている機械のどこかが壊れたらしく、振るとかたかたと音がした。

何とか腹の中まで見てやろうと思ったが、関節だけは簡単に壊すことができたものの、手首から先を除く身体全体はセルロイドでできていたから、幼い私にはそれ以上簡単に壊すことができなかった。白い襟のついた赤いワンピースと、白いぺらぺらした布でできたパンツを脱がし、生白く、つるりとした人形の丸い腹と、ぽつりとへこんでいるへその部分を踏んだり叩いたりしながら、私は腹の中がどうなっているのか、あれこれと想像して過ごした。

微熱を出した晩以来、私は少しでも寝つかれないと、すぐに階下が気になるようになっていた。何か物音がするたびに、私は足音を忍ばせて階段を下り、父と義母のいる部屋の様子を窺いに行った。父は、酒を飲んで帰ってきては、義母に何か怒鳴っていることが多かった。義母は黙って父の服を脱がせていることもあったし、父の差し出す杯に酌をしていることもあった。

「今夜は堪忍《かんにん》して」

その晩も、私はそっと階下へ下りていった。襖の向こうから、義母の声とは思えないくらいに、細く、柔らかく、鼻にかかったような声が聞こえた。

にした。

「いいや、勘弁しない」

父の声が聞こえた。それは、いつもの怒鳴り声とは違うものにも聞こえたが、それでも私はとっさに、以前のように父が義母を殴るのだろうと思った。

私は少しでも長く、義母が殴られているところを見たいと思った。襖はぴたりと閉じられていたから、私は隣の部屋に入り込み、そこから庭に出て、窓から居間を覗くことにした。

それは、何とも奇妙な光景だった。

父が義母を虐《いじ》めていることには間違いがなかったが、父は殴っても蹴ってもいなかった。ただ、プロレスか何かのように義母の上に馬乗りになり、義母の服を脱がせようとしていた。義母は首だけをもたげて、父に向かって何か口を動かしていたが、声は聞こえてはこなかった。

私は、自分の部屋の箪笥の引出しに眠る人形のことを思い出していた。私が、あの人形の服を脱がせたように、父は義母の服を脱がせていた。だが、義母の身体は人形のようにセルロイドでできているわけでもなく、もっとぶよぶよとしていた。父が、その乳房を摑むのが見えた。

「駄目って言ってるのに」

義母の声が、ひときわ大きく聞こえた。そして、父の下から抜け出そうともがく。だが、少し這い出そうとすると、父が再びそれを捕まえ、腕を押えつける。

その時に、私にははっきりと分かったことがあったのだ。

女は、男に虐められると喜ぶのだ。

義母は「堪忍して」「駄目」と言いながら、笑い声を上げていた。私は、自分が人形の腹を踏んだり蹴ったりしていた時のことを思い出していた。普段威張っている父が、自分と同じようなことをしているのを見て、驚くと同時に安心もした。そして、最終的には、父を心の底から軽蔑した。

青白い月の光を受けながら、私は普段自分が生活しているのとはまるで違う時の流れ、まったく異なる世界に身を置いている気分だった。やがて、あまり身体が冷えたので、再び部屋に入り、廊下に出たところで父に見つかった。

「何をしているんだ」

私は、ついさっきまで義母に馬乗りになっていた父が、寝巻の帯を結び直しながら立っている姿に驚き、どうしたら良いのか分からないままに立ち尽くしていた。

「ここで、何をしている。何時だと思ってるんだ」

「――――」

「何をしていたのか、言えないのか」

「――喉が渇いて」

「喉が渇いたのなら、台所に行きなさい。おまえは今、どこから出てきた？」

「――――」

うつむきがちに目だけを動かすと、父が出てきた居間では、義母が床にぺたりと座ったまま、髪を撫でつけているのが見えた。そして、ちらりとこちらを振り返り、意地の悪い目で私を見た。

「何を考えてるんだか。そんなことだから熱も下がらなくて、いつまでも休まなければならないのよ。怠け者になるわね」

私はうつむいたまま、足のうらにざらざらとするものを感じていた。

「何をしていたのか言えないのか」

「――――」

「言いなさい！」

「庭に」

「庭に出たのか」

「月が」

「月がどうした」

「綺麗だったから」

その途端、私は父に殴られていた。頬にしびれるような熱さを感じ、頭上から「馬鹿もん！」という声が響いた。

「こんな夜更けに、ただ月が綺麗だというだけで、庭になんか出るんじゃない！　そんなことだから、いつまでたっても丈夫にもならなければ、熱も下がらないんだ！　これ以上、お義母《かあ》さんに迷惑をかけるんじゃない！」

私は、よろよろと起き上がると、むりやり「ごめんなさい」「お父さん、お母さん、おやすみなさい」と挨拶をさせられ、ぼんやりと階段を上がった。背後から「可愛くも何ともない、涙一つ浮かべるじゃなし」という義母の声が聞こえた。それは、普段の義母の声で、さっき父に馬乗りになられていた時の、猫のような声とは別人のようだった。

あの喉も、できることならば開いて見てみたいものだ。なぜ、あんなにも違う声が出るのだ、と私は悔しさに唇を噛みしめながら思った。虐められて喜ぶくせに、女のくせに、と私は心の中で繰り返していた。

それから暫《しばら》くすると、義母の腹は大きく膨らみ始めた。「新しい妹か弟ができるのだ」と、ある日父が私に言った。私の頭の中では、人形の腹のかたかたと鳴る音が響いていた。私が人形の腹の中を見たいと思うのと同じように、父も義母の腹の中を見たいと思うのだろうか。あの腹をえぐってみたいと思うのだろうか。

そんな時だった。初めて蠅を叩き殺したのは。赤ん坊の代わりに白いウジを無数に湧み出させた蠅が、あの義母と同じなのだと知った時の嫌悪感は今でもはっきりと残っている。

　女は、蠅でも人間でも変わりがないと、私は潰した虫を紙に挟んでしまい込むたびに思うようになった。引出しの中のセルロイドの人形は、それから後も誰にも見つけられなかった。そしてある日、私はこっそりと家から持ち出して、近所の工事現場の焚火《たきび》にくべてきてしまった。

21

一月十日　午後十時

タロット・カードを繰りながら、摩衣子は深々とため息をついていた。今夜はまた暇な晩で、たまに客が来たかと思えば、地方から漬け物か何かを売りにきているセールス程度だった。ママの承諾を得て、アルバイトの女の子も、今しがた帰って行った。

こうしていると、会いたいという思いばかりが募ってくる。心の中で「早く、早く」という声がする。目の前には七枚の大アルカナカードが✡型に展開されている。三枚目のカードをめくったところで、裏口から何かを買いに出かけていた木下が戻ってきた。

「また、占ってるのか」

「だって、ほかにすることもないんだもの」

「ママは」

「高田さんと、『ちょっと』って。一、二時間で戻るって言ってたわ」

三枚目のカードは逆位置の「塔」のカードだった。キーワードは崩壊。逆位置の意味するところは窮地——。

「摩衣ちゃんが来てからさ、ママ、やる気がなくなったんじゃないのかね」

「そう？」

「まあ、こうも暇じゃあ、やる気も失《う》せるだろうがな。安心して任せておけるからだろう」

近い未来、何か危機的な状況が訪れるとカードは告げている。摩衣子は、いまだに心の中で「早く、早く」という声を聞きながら、残りの四枚のカードを読まずにしまってしまった。近い未来、何か緊迫した状況が訪れる。それだけ分かれば十分だった。近い未来のことだけで、今は十分だ。

「なあ、摩衣ちゃん」

木下は、客がいない時にはとたんに態度が大きくなり、表情も不敵なものに変わる。摩衣子は、木下がいない間に自分で注いだウーロン茶をゆっくりと飲みながら、小首を傾げて木下を見た。

「あんた、こういう商売は長いのかい」

「さあ、どうかしら」

「俺の見たところじゃ、あんた、慣れてるように見せてるけど、案外ど素人なんじゃないかと思うんだがね」

「あら、嬉しいわ、そういうふうに見てもらえるなんて」

木下は、微かに鼻を鳴らして笑うと、胸のポケットから煙草を取り出す。

「この店を、どう思う?」

「――どう、って?」

摩衣子は、そこで自分も煙草を取り出し、木下に火を点《つ》けさせると、ダウン・ライトに向けて煙を吐き出した。末広がりに注がれる照明の中を、木下の煙草の煙と摩衣子の吐き出した煙がよじれながら絡みあい、やがて薄い雲のように横に広がって漂った。

「あんただったらさ、もっと条件のいい店で働けるんじゃないかっていうこと」

「ノルマがきついのは嫌なのよ。それに、あんまり女の子が多いところもね」

「そんな店ばかりじゃないさ。もう少し実入りがよくて、条件のいい店だってある」

木下は、そこで口の端をわずかに歪めてにやりと笑ってみせる。摩衣子は心持ち顎を突き出すようにして木下の顔をのぞき込んだ。

「どこか、心当たりでもあるの?」

「そりゃあな、ないことはないさ」

木下という男の、背後にあるものが摩衣子には見えてこなかった。彼がどれほどの過去を持ち、どんな環境で暮らしてきた男なのか、摩衣子には想像がつかない。ただ彼の、時折見せる抜け目のない目つきと、背負っている冷たく不気味な影が、一種独特な粘りけを帯びて、いつも摩衣子にまとわりついてこようとしているのだけを感じるのだ。

「なあ、ちょっと俺の考えてること、聞く気ないかい」

「何を考えてるの」

摩衣子は、木下の不敵な笑みに自分も微笑みを返しながら、片手でグラスの縁をなぞっていた。

「それについてさ、どうだい、今夜あたり店が終わってから、少し俺の話を聞いてみないか」

「聞かないこともないけど？」

木下の視線が一層粘りけを帯び、なめるように摩衣子の首筋の辺りを這い回っている。

「おいしい、話？」

「おいしいさ、俺とあんたと、二人にとってな」

木下の、小指に金の指輪をはめた右手がすっと伸びて、摩衣子の頬に触れる。摩衣子は口元に笑みを絶やさないまま、その手を軽く握り、柔らかく自分の頬から引き離した。

今度は逆に木下の手が摩衣子の手の上に乗せられる。

「ビジネスなんでしょう？」

「ビジネスにつながる話さ」

「どこで話を聞くの」

「邪魔の入らないところだな」

その時、表の扉が開いた。木下は素早く手を引っ込め、口元の野卑な笑みを引っ込めた。摩衣子は一瞬のうちに表情を変えた木下を見、それから入口に現われたのがママではないと分かると、椅子から飛び降りた。心臓が微かに高鳴っていた。さっきのタロット占いの「塔」のカードが頭にちらついている。

「まあ、やっぱり福の神」

入ってきた小田垣に、摩衣子は明るい声で駆け寄った。背後に木下の視線を感じる。

「何だ、今夜も暇なのか」

「そうよ。新年早々、もう閑古鳥《かんこどり》がぴいぴい鳴いてるわ」

小田垣は、摩衣子にコートを手渡しながら、素早く店内を見回し、それから摩衣子の胸元に目をやると、一瞬目を細めた。

「まさか、今夜も僕が来るって占いに出ていたんじゃないだろうね」

「それが、出てたのよ」

摩衣子は、自分も胸元の可憐なピンクの花を見て微笑んだ。六、七センチの蘭の花は、カトレアのように艶《あで》やかではなく、もっと控え目な風情で、微かに震えて見える。

「この名前は、ご存じ？」

小田垣は、ゆっくりとカウンターに向かいながら、もう一度摩衣子の胸元を見る。摩衣子の心臓はまだ高鳴っている。

「洋種の、カランセだろう」

摩衣子は「ああん」というような声を上げて、自分も小田垣の隣に腰掛けた。木下は口の中だけで「いらっしゃいませ」と言い、ちらりと摩衣子を見て不満そうに目を逸らした。

「全部、分かっちゃうのね」

「同じものを栽培してるんでね」

「あら、栽培もしていらっしゃるの」

小田垣は、木下が差し出したいつものアルマニャックに手を伸ばしながら「まあね」とだけ答える。店に入ってくるなり、すぐに摩衣子のどこかに蘭の花を探した時の視線の鋭さは既に消え、顔には年の瀬と同じか、それ以上の疲労の色だけが残った。

摩衣子はしばらくの間、黙って小田垣の横顔を見ていた。くっきりとした二重《ふたえ》まぶたの彼の目は、まだこの店内のものをなに一つとして映そうとしていないように見える。おそらく彼の頭の中は今も目まぐるしく回転し、この店の入口に立つまで引きずっていたはずの思いは、いまだに収拾のつかない形のままで彼の中で漂っているのかもしれない。

こんな時は、無駄な話はしないに限る。やがて、彼の表情が少しでも和らいできた時を見計らって口を開けば良い。摩衣子は、ただ黙って自分もグラスを傾けていた。多少なりとも摩衣子の蘭に興味を抱いていないはずはないが、それでも摩衣子には、小田垣が自分を目当てにこの店に来てくれていると思えるだけの自信がなかった。

「ママは」

「ちょっと、出てるの。もうじきに戻ると思いますけど」

小田垣はそれだけを聞くと、わずかに頷いて見せて、再び黙ってしまう。木下は、目のはしに微かに苛立ちを漂わせながら、用もないのにグラスを磨き始めた。

「蘭の栽培って、難しいんじゃないの？」

やがて、小田垣がお通しに手を伸ばした時に、摩衣子はようやく口を開いた。

「そうでもないさ。コツさえ呑み込めて、温度や湿度の管理さえできればね」

「じゃあ、温室が必要ね」

「まあね。家《うち》はマンションだから、温室っていったって、本当に間に合わせの小さなものだが」

「見せていただきたいわ、こういうお花が鉢にちゃんと植わっているところ」

「――そのうちね」

新聞を読むかぎりでは、このところは例の連続殺人事件の新しい被害者は出ていない。

だが、そのほかに目新しい記事も出ていないから、捜査は難航しているのにちがいなかった。

「お正月は、お仕事だったの？」

摩衣子の言葉に小田垣は眉だけで答える。

「捜査は、進展してる？」

重ねて聞くと、小田垣は今夜初めて摩衣子の顔を見て、小さくため息をつくと再び前を向いてしまった。

「君は、せいぜい自分が被害に遭わないように気をつけていればいい。馬鹿な誘いに乗らないで、簡単にどこへでも出かけないことだ」

摩衣子は、ちらりと木下を見て笑いそうになってしまった。その時の木下の顔ときたら、まるで自分が犯人扱いでもされているような顔だった。これで、今夜の誘いはうまく逃げることができるにちがいない。何を考えているのか知らないが、そうやすやすと男の口車に乗る女だと思われるのは心外だった。

「今頃、どこをうろついているんだかな――」

小田垣は、珍しく長いため息を吐《つ》くと、珍しくグラスを一息に空けて、黙って木下に差し出した。

「正直なところね」

二杯目の酒が運ばれたところで、小田垣は疲れた表情の目を摩衣子に向ける。よく見れば、目元にも細かく皺が寄り、髪にもわずかに白いものが見られる。

「今度ばかりは、長引きそうな感じがしてきた。こうもてこずらされるとね」

普段悠然と見えているはずの小田垣が、その時ばかりは、年齢という避けようもない残酷な仕打ちの前で、打ちひしがれているように見えた。

「巷には、捕まっていない犯罪者がうようよいるっていうことね」

摩衣子の言葉に、小田垣はぴくりと目の下を動かし、何かを考えるように摩衣子の顔をしげしげと見つめる。摩衣子は、ようやく落ち着いてきた胸の鼓動が再び激しくなるのを感じた。

ついさっき、木下さえいないこの店で、摩衣子は「会いたい、早く会いたい」という思いばかりを心の中で繰り返していたのだ。あのタロット・カードの、最後の七枚目は何だったのだろう。近い未来には窮地に追い込まれることがあると予言された摩衣子の願いの、最終予想を示すカードは、吉と出ていたのだろうか、凶と出ていたのだろうか。

「そんなに犯罪者を野放しにしておくような国じゃない」

「あら、ごめんなさい。お気に触った？」

煙草を取り出しながら軽く言うと、小田垣はなおも摩衣子の顔を眺めていたが、やがて諦めたように視線を外してしまう。

「だって怖いじゃない？　その人が捕まらないかぎりは、私たちは殺人犯人の隣にいるかもしれないんだもの」

小田垣の目の下が再びぴくりと動いた。

「まるっきり、記者会見で責められてるみたいな気分だな」

「でも、小田垣さんは偉いんだから、自分で何もかもやることはないんでしょう？　部下の人たちをうまく動かせばいいんだから、あまりご無理をなさらない方がいいと思うけど」

「君の言ってることは矛盾してるよ」

摩衣子はそこで小さく声を出して笑い、小田垣の方に心持ち身体を傾けた。

「だってね、犯人は早く捕まえてほしいけど、今の私は蘭の花の方が興味があるの」

すると小田垣は珍しく手を伸ばしてきて、摩衣子の腕を軽く叩いた。摩衣子の全身を電気が流れたような感覚が走り抜けた。反射的に目を伏せると、胸元のカランセが揺れているのが見えた。

「蘭はいいよ。控え目で気高い」

「ねえ、見たいわ」

再び顔を上げると、小田垣は静かな表情のままで前を向いている。ただ、その手だけは、摩衣子の腕に置かれていた。

22

一月十八日　午後七時

夏季は、まだ引っ越してから十日とたっていない、現在の住まいが案外気に入っていた。

入り組んだ路地の奥にある、モルタル塗り二階建てのアパートそのものは、建ててから十年以上はたっているものだし、家賃から考えても、むしろ安いほうで、特にどこかが変わっているわけではなかったのだが、アパートの外から少しの間続く路地が砂利道なのが気に入っていたのだ。

靴の裏にごつごつとした違和感を感じながら、砂利を踏みしめる音を聞いて歩く時、夏季のこころは懐かしさに満ち、どこもかしこも石で覆われてしまっているこの街も、一皮剝けば夏季の故郷と同じような土がむき出しになるのだと思い出して、ようやく少しだけこの街が好きになりそうな気持ちになる。

一年で一番陽射しの短い季節だった。あたりはすっかり暗くなっていた。そっとアパートの鍵をかけ、鉄の階段を下りて、路地に足を踏み出した途端、ざく、と響く自分の靴音とは別に、背後でも砂利を踏みしめる音がした。

「――夏っちゃん」

「店長――」

ぎくりとして振り向くと、そこには去年の暮れに電話一本かけただけで、あとは勝手にやめてしまった花屋の店長がいた。

「探しちゃったよ、夏っちゃん」

街灯に浮き上がる中を、ざく、ざく、と砂利を踏みしめながら、皆に「和也さん」と呼ばせていた店長は、奇妙な薄ら笑いを浮かべて近づいてくる。

「へえ、ずいぶん、おしゃれしてるね」

「あの――急にやめて、すみませんでした」

いつも鮮やかな色彩の花々と明るい照明に照らされている場所でしか見たことがなかったから、それほどには感じたことがなかったが、こうして闇の中に浮かび上がる和也は、いつもよりもよほど貧相で、不気味に見える。

「そうだよ。こっちにも都合があるからさ、勝手にやめられて、迷惑したんだ」

夏季は、徐々に自分に近づいて来る和也が不吉な闇を背負っているように見えた。狭い路地にはほかに人通りもない。独身向けのアパートの建て込んだ地域だから、この時間から窓に明かりのともる部屋も少ない。

——早く大通りに出て車をつかまえたい。

夏季は、和也を無視してさっさと歩き始めた。だが、和也は「ねえ、ねえ」と言いながら夏季に並んで歩き始めた。

「僕がね、僕が言ったことを気にしてるの」

「——」

「僕の気持ちを知ったから、やめたの」

クリスマス・イブの晩、和也が気弱な笑みを浮かべながら自分を誘った時のことは、今でもはっきりと覚えている。アルバイトの学生が助け船を出してくれたから良かったが、ひ弱に見えながら、どことなく粘着質な印象の店長が、夏季は心の底から薄気味悪く感じられたものだ。

「でも、夏っちゃんだって、僕の気持ちに気づいていたはずじゃないか?」

「いえ、私は何も——」

「嘘だよ。だって、僕が合図を送ると、夏っちゃんはいつだってちゃんと合図を送り返してきたじゃないか」

今にも肩を摑まれそうな気がして、夏季は全身を堅くしながら歩き続けた。

和也の言っていることが、何一つとして分からない。合図というのは、いったい何のことなのだろう。そんなことは身に覚えのないことだ。和也はとにかく一人で勝手に何かを思い込んでしまっている。

「あのクリスマス、横山が邪魔しなければ、僕たちは素敵な晩を過ごせたかもしれないんだよね」

「ですから、あの晩は、私は約束があったんです」

「だからさ、二人で皆を驚かそうっていう話にまでいったのに」

「そういうことをされたら、私、とても困ったと思うんです。横山くんに、私感謝しています」

心臓が高鳴っている。砂利を踏むたびに、頭の中でざく、ざくという音が響く。

「じゃあいいよ、あの時のことは、許してあげる」

ふいに腕を摑まれて、夏季は思わず立ち止まった。自分の顔とたいして変わらない高さに、小さい、貧相な顔が浮かび上がっている。眉ばかりが妙に濃くて、八の字を描いているほかは、特にこれといった特徴のない顔。目も鼻も口も、輪郭さえも、何もかもがぼんやりとした印象を与える顔。

「ねえ、僕たち二人は絶対にうまくいくと思うんだ。何しろ、僕たちの出会いは、運命なんだもの」

「店長、――何か、考え違いしているんじゃないですか」

夏季はできるだけ冷静に、ゆっくりと腕を振り解《ほど》きながら和也を見た。けれど、街灯の明かりの下で、和也の表情はあまり変化を見せない。

「お気持ちはありがたいんですけど、私、店長とおつき合いするつもりは、ありませんから」

重ねて言うと、その時になって初めて和也の表情が大きく歪んだ。

「なに、言ってるんだよ。冗談、きついよ。元はと言えば、夏っちゃんのほうからモーションかけてきたんじゃないか」

「私、そんなことした覚えはありません」

夏季は再び、今度は足早に歩き始めた。ハイヒールが砂利を蹴る。少しの間一人の足音が続いたと思うと、背後から和也の足音が駆け足で近づいてくる。

「夏っちゃん――ちょっとの間に、ずいぶん変わったみたいだな」

和也はわずかに呼吸を乱しながら夏季の跡をついてくる。

「僕の知ってる夏っちゃんは、そんな派手な雰囲気じゃなくて、もっとおとなしくて優しくて」

「お花屋さんで働くのに、誰がおしゃれすると思うんです。あの場所の、あのお店で、一人で派手な格好なんかできるはずがないでしょう？　ジーパンにトレーナーで十分じゃないですか」

「僕の店を、馬鹿にするのか」

夏季はそれきり口をつぐみ、いくつかの角を曲がって、ようやく大通りに出た。その間も和也は泣き言とも恨み言ともつかないことをずっと耳元で言い続けていた。

「でも、今夜の夏っちゃんは、これまで見たなかで一番綺麗だよ」

「ね、夏っちゃん。僕の話を聞いてよ」

「君が来なくなって、僕がどんな気持ちで過ごしていたか。僕の食欲がないんで、おふくろだって心配してさ」

「ここを探すのだって、僕は必死だったんだからね。おふくろに店に出てもらって」

「前の大家さんに、僕は見合いの相手なんだって言ったら、『お似合いですね』って言ってくれてさ」

夏季は耳元で和也の声を聞きながら、ひたすらタクシーの空車の赤いランプを探し求めた。

「ちゃんと、僕の話を聞いてよ、ねえ、夏っちゃんてば」

「しつこいわ！　お話しすることなんか、ありません！」

思わず声を荒らげると、それまで薄ら笑いを浮かべていた和也の顔がすっと変わった。

「いいのか、そういう言い方をして」

「言いがかりをつけているのは、そっちじゃないですか」

夏季ができるかぎりのきつい眼差しでにらみつけると、和也は口の片端だけをわずかに歪めて、鼻から大きく息を吐いた。

「いいよ、君がその気なら。こっちにも考えがあるからな。君の居場所をさ、あの男に教えてやる」

「――――！」

「ほら、君を訪ねてきた男さ。あの時、ちょうどおふくろも店にいてさ、念のためにって、連絡先を聞いてあるんだ。そういうところが、しっかりしてるからね、うちのおふくろは」

夏季は、唇を嚙みしめながら和也をにらみ続けた。

「それがいやならさ、僕の話を聞けよ、な」

和也は、口元だけを奇妙な形に歪めて笑いながら、夏季の腕に自分の手を絡ませようとしてくる。

「悪いようにはしないさ。ね？　君が謝れば、僕だって、機嫌を直すよ、だからさ」

じりじりと歩道の端にまで連れていかれそうになったとき、タクシーの赤いランプが見えた。夏季は夢中で和也の手を振り離すと、車道に走り出て、手を上げた。

「おい、待ってってば！　いいのかよ、僕の話を聞かないと、ひどい目に遭うんじゃないのかっ」

背後から和也の声が追ってくる。闇の中でウィンカーを点滅させて近づいてくるタクシーをもどかしく待ちながら、夏季は振り返ってもう一度和也をにらんだ。

「これ以上、つきまとわないで！」

夏季は激しく怒鳴ると、滑るように近づいて扉を開けたタクシーに駆け寄った。

「待てってば！　あの男に連絡してやるからな！　それでも、いいのかよ！」

もう一度背後から肩を摑まれて、夏季は激しくその手を払いのけた。

「これ以上、しつこくつきまとうんなら、警察に言いますよ！　何でも、勝手にすればいいじゃないの！」

夏季の言葉に、和也は「ひいっ」というように喉を鳴らし、一瞬顔の表情を失った。

夏季は、冷ややかにその顔を一瞥《いちべつ》し、そのまま身を屈めてタクシーに乗った。

「何だよ、お高くとまりやがって！　覚えてろ！　おまえがどこに行こうとしてるかなんて、すぐに調べられるんだからな！　跡をつけてやるぞっ！　すぐに、あの男を呼び出してやるっ！」

背後から、和也のふやふやした怒鳴り声がかぶさってくる。夏季は唇を嚙みしめ、身を堅くしたまま、タクシーのシートに身を沈めた。

「淫売女め、馬鹿野郎！」

最後にそんな声を聞いて、タクシーは走り出した。彼が本当に追ってきていたらどうしようと思うが、怖くて振り返ることができない。夏季はただ全身を堅くして、前ばかりを見ていた。

「大丈夫ですよ。誰もついて来ません」

信号を二つばかり過ぎたところで、初老の運転手が、ミラー越しに夏季の顔を窺いながら言ってくれた。

「ありがとう。ああ、怖かった」

夏季は出来るかぎり明るい声を出し「春先にはああいう人が増えるっていうけれど、それにしてはまだ寒いわよね」などと軽口を叩いた。煙草を取り出そうとして、指先が細かく震えているのに気づいた。

夏季は、和也に対して何をしたつもりもないのだ。それなのに、和也の方で一方的に頭の中で何かのお話を作り上げ、「運命」だか何だかを思い込んでしまったのにちがいない。和也が、あの足で電話ボックスに走っている様が目に浮かぶ。

——冗談じゃないわ。せっかく、ここまで来ておいて、何もかもを無駄にするわけにいかない。神様、私にもう少し時間をください。もう少し、力を。

深々とため息をつきながら、夏季はぼんやりと故郷の妙子のことを思っていた。こんな時に身近に頼れる相手がいない心細さが改めて襲ってくる。

今夜はアパートに帰らない方が良いだろうか。けれど、明日の仕事のことを考えたら、そんなことばかりもしていられない。居場所を突き止められたかもしれないと分かっていながら、部屋に帰らなければならないのだろうか。

——でも、諦めない、絶対に。

できるだけゆっくりと煙草を吸っているつもりだったが、その煙草を持つ指先の震えは、なかなかおさまらなかった。

23

結局、父に殴られないようにするためには、自分もまた父と同じような力を持つよりほかはないのだと気づいた。

父は家において絶対的な権力を持っていた。

経営規模としては中堅どころではあったが、貿易会社の三代目の経営者であり、それなりに成功をおさめていた父は、名前も広く知られ、各方面に顔がきいた。

幼い私から見れば、父はそびえたつ山のように大きく、とてもその力に勝つことはできなかった。せめて父に殴られないためには、父の言いつけを守り、長男としての責任を全うするしかなかった。

私は父の望みどおり、成績優秀の少年に育った。

私には、義母の薄汚ない腹から出てきた三人の不出来な義弟妹がいた。私は、三人の義弟妹に対して、父と同じような存在になっていった。何しろ、彼らはあの義母の腹から出てきたウジと同じなのだと思えば、彼らが多少人間らしい主張を私に対してしたところで、私にはウジのたわごととしか取れなかったのだ。第一、彼らは一様に愚鈍で平凡で、そして、愚かしいほどに素直だった。彼らにとって、私は大人で、冷静で、時には厳しくもある、尊敬すべき義兄だった。

　学校の成績においても、近所の評判においても、私は兄弟の中で最も優れていた。それは当たり前のことだ。私は、あの女の腹から出たのではない。父は、義母の産んだ息子——単純で無邪気で悪戯好きで、好奇心ばかりが強く、父や義母に甘えては物をねだるのが得意な子どもだ——の方をむしろ可愛いと思っていたが、学校での信任も厚く、何の欠点もない私に、やはり注目しないわけにいかなかった。義母はいつも憎々しげに私を見たが、やがて私のほうが身長も高くなり、彼女が何を言っても「はい」と「いいえ」でしか答えないから、面と向かっては悪態をつけなくなった。

　そして私は一人になれば、引出しに昆虫の遺骸をため込み、それにも飽きて、やがては近所の鳩や猫を殺すようになっていった。だが、そのことは誰にも知られることはなかった。私は、人前では見事に父の望む嫡子の役を演じ続けた。

　私は、実の母は、私を産むと同時に死んだのだと聞かされていた。それが嘘だと分かったのは、私が十五の時で、私が幼いときに住み込んでいた家政婦が、久しぶりに訪ねてきたからだった。

「お母様にそっくりになられましたね」

もう、七十歳を過ぎていると思われる元家政婦は、私の顔を見ると涙をこぼさんばかりにそう言った。

「奥様も、さぞかし心残りでございましたでしょうねえ」

「仕方がないよ、生き返ることができるわけじゃないんだから」

父も義母も留守の日曜日だった。義弟妹たちは、それぞれ遊びに出ていて、家に残っていたのは、どこから捜し出してきたのか知らないが、珍しいくらいに愚鈍な、若い家政婦と私だけだった。

「ああ、坊ちゃまは、まだそのように聞かされておいでなんですか」

彼女は深々とため息をつき、深い皺に囲まれた目を悲しそうにしょぼつかせた。

「奥様はねえ、生きておいでですよ」

その言葉は、初めて聞くとも思えないくらいに、私の中にすんなりと入っていった。死んだと聞かされながらも、遺影も見せられず、墓も知らされていなかった私は、心のどこかで大人たちの説明を信じずにいたのかもしれない。

「旦那様が、新しい奥様をお入れになるために、外にお出しになったんです。奥様は、坊ちゃまだけは連れていきたいとずいぶん旦那様に頼まれたんですが、結局は駄目でした。一番お可愛いさかりでしたのにねえ」

「それは、僕がいくつの時」

「三つ、になっておいでででしたねえ、たしか」

きらきらと光る日溜まりと、がちゃん、と何かが割れる音が、頭の中で散乱した。

「ここにいらっしゃる間は、奥様もずいぶんと我慢をなさったんです。お寂しい毎日だったと思います」

年老いた家政婦は、まるで死ぬ前に心のつかえをすべて取り去りたいとでも思っているかのように、こちらが聞きもしないことを喋った。

「元はと言えば、今の奥様は水商売の人ですから。大方旦那様に言い寄って、無理に離婚させたにちがいないんです」

老婆は十年以上も前のことを、つい昨日のことのように鮮やかに思い出したらしく、白内障にでもかかっているのか、瞳の色が薄くなりはじめた目を潤ませた。

「奥様は、自尊心の強い方でしたから、旦那様が外に女を作ったと分かって、平気で過ごすこともおできにならなかったんでしょう」

――私の母はプライドが高かった。

その言葉が私の中に染みこんでいった。私の母は、父に殴られ、虐《いじ》められて喜ぶような女ではなかったということだと思えた。

私を産んだ母は、あくまでも高潔で、蝿と同じように、ただ腹を膨らませて、ウジのように私を産んだのではなかった。自分の生命と引き換えに私を産んだという話よりは、それは多少の生臭さを含んではいたが、その代わりに、私に負い目を感じさせずに済むことになった。

父が私に辛《つら》く当たるのは、何も私が母の生命を奪ってしまったからではない。私が母に似ているから、それが気に入らないのだということが分かった。

「母の居場所を知っているの」

私は、痩せて、血管と筋ばかりの、ところどころにシミの浮いている老婆の荒れた手を見ながら聞いた。

「さあ。探してみれば、分からないことはないと思いますよ。ご実家は、存じ上げていますから」

「母は、僕を覚えているだろうか」

生まれて初めて、ほんの少し心の底にくすぐったいような感覚が生まれたと思う。それは、甘酸っぱい、もう少しで不快に感じられるようなものだった。けれど、あと一歩のところで、不快感から引き離され、あまり居心地は良くないが、嫌な感じではない温もりのようなものだった。

「誰が、ご自分のお腹を痛めたお子さんのことを忘れたりするものですか。会いたい思いばかりで、この年月を過ごしておいでにちがいありません」

老女は、家政婦だったとは思えないくらいに物腰が柔らかく丁寧で、静かな、きちんとした着物の着方をしていた。私は、是非とも自分を産んだ母のことを調べてくれないかと老女に頼み、重ねて、父と義母には何も言わないでくれるようにと頼んだ。老女は再び涙を流しながら、生きている間にきっと二人を会わせると約束してくれた。

自分を産んだ母が今も生きている。思えば、正体不明のあの思い出の女性が、母にちがいない。私はそれから毎晩のように母のことを思うようになった。

早く会いたい。早く会いたい。

ある日、私は幼いころから貯めていた昆虫の死骸を、すべて焼き払うことにした。押しつぶされ、紙に挟まれて、完全に乾燥してしまった無数の虫たちの死骸は、どれも紙に描かれたもののように見えた。

「わあ、臭い。お義兄《にい》さまってば、何を燃やしてるの」

裏庭で、他の古いノートなどと一緒に焚火《たきび》をしていると、一番末の義妹がワンピース姿で近づいてきて言った。それは遠い昔、私がセルロイドの人形から脱がせたワンピースと似ていた。

「火の粉が飛ぶから、あっちへ行ってなさい」

私は、鉄の棒で炎の中央を突つきながら、義妹の顔も見ずに答えた。心なしか、いろいろな色の炎がところどころから立ち昇っているようで、それらの一つ一つが、ぺちゃんこに潰れた虫から出ているように思われた。

「いーだ」

義妹は、そんな捨て台詞《ぜりふ》を吐くと、ぱたぱたと走っていってしまった。私は炎を眺めながらふと、あの義妹程度に大きかったら、もう燃やすのは無理だろうと考えていた。

24

一月二十日　午前十時半

小田垣は、腕組みをしたまま、ブラインド越しに窓の外を眺めていた。一年で一番冷え込む季節に向かい、この捜査本部が設置されたころには葉を黄色く染め始めていた街路樹も今は裸木になり、寒風の中で細い枝を震わしている。

ついさっき、またもや横浜港に近い公園通り沿いのホテルで若い女性の死体が発見されたと通報があった。

――いったい、いつまで殺し続けるつもりだ。

この二カ月ほどの間に、眉間にはくっきりと縦に皺が入るようになってしまった。もしかすると、このまま迷宮入りになってしまうのだろうかという思いがちらりと心をかすめる。そんな不安を感じたことは、これまでに一度としてなかったことだ。

だが、その一方で、頭から離れない人物がいる。あの冴えない監察医が、何か、事件の鍵を握っているのではないか、我々の知らない何かを摑んでいるのではないか、どうしてもそんな気がして仕方がない。

「ただいま戻りました」

乱暴に扉が開き、老練の須藤刑事と若い刑事のコンビが部屋に飛び込んできた。安田捜査一課長がすぐに口を開こうとしたが、小田垣はそれを目で制し、腕組みのままで二人の刑事を交互に見た。

「どうだった、ホシの目星は」

「違いますね、あれは、別の犯人ですな」

須藤刑事は、神経痛を起こしているらしい。腰をとんとんと叩きながら、ちらりと安田課長を見たあと、ゆっくりと胸のポケットに手を入れる。その間に若い方の刑事が自分の手帳を開いた。

「まずガイシャですが、免許証から、中谷奈穂、二十一歳。住所は、山梨県石和《いさわ》町です」

続きを老刑事が引き継ぐ。

「昨日の夜、八時頃にチェック・インしていますが、男連れです。宿泊カードには、男の方が書き込んでいますから、現在確認中です。男が出て行ったところは見られていませんが、チェック・アウトの時間になっても部屋から出てこないんで、ホテルの従業員が確認に行ったところ、死体を発見したというわけですな」

小田垣は、組んでいた腕をほどき、ゆっくりと机の前に戻った。

「犯行の手口は」

「刺殺です。凶器は現場に残されていました。犯行としてはまことにお粗末、証拠だらけです。おそらく、口喧嘩《くちげんか》か何かになって、はずみで刺しちまったんでしょう」

「つまり、一連の事件の犯人とは別の人間による犯行と考えて間違いないのか」

「まず、間違いありません。場所がホテルという以外には何の共通点も見られません。逮捕は時間の問題でしょう」

小田垣は、深々とため息をつき、二人の刑事を見上げた。

「では、すぐにこちらの事件の捜査に戻ってくれ」

「あ、でも」

若いほうの刑事が慌てたように口を開き、隣の先輩刑事を見た。

「どんな手がかりが摑めるか分かりませんから、新しい事件の方を先に片づけてしまいたいんですがね」

須藤刑事はゆっくりとした口調でつぶやくように言うと、輝きのない瞳で無表情に小田垣を見る。

「ついでと言っちゃあ、何かも知れんが、とりあえず、早く解決できる方から手をつけてしまいましょうや。人手も足りないんですし――」

「決定は私が下す」

小田垣は須藤刑事の瞳を正面から見据えると、こちらもゆっくりとした口調で言い返した。だが、老刑事も表情を変えない。

「こちらの事件のほうは、ほかの連中を回してあります。捜査に支障はないはずだ」

「そうか。では、私も加わろう」

「いや、部長はここにいらして下さい」

老刑事の目がひときわ大きく見開かれ、小柄だが、がっしりとした体格が急に一回り大きくなったように見えた。彼が重ねて何か言おうとした時、今度は安田捜査一課長が二人の間に入った。

「現場は現場で動いています。小田垣部長は、捜査本部長として、ここで陣頭指揮を取られるのがお仕事です。私たちは私たちのやり方で動いていますから」

「私が動いては邪魔ということか」

小田垣は、老刑事がにやりと薄ら笑いを浮かべるのを見逃さなかった。年が明けてから、捜査本部はますます空気が沈滞し、険悪な雰囲気が漂っていた。

早期解決を望めなくなった以上は、あとは地道に捜査を続けなければならない。捜査本部の人員も当初の半分に減らされた。

容疑者の枠を決めかねるような今回の事件では、いつまでたっても的を絞りきることができない。誰もがはっきりとは口に出さなかったが、昨年末までの事件解決を望んでいながら、重苦しい新年を迎えてしまったことで、やり場のない憤りが溜まってきている。当初は「各被害者の死因の究明、親族からの事情聴取、地取《じどり》捜査、交友関係者の解明、前歴者、素行不良者等の洗い出し、通話記録からの相手の究明」などなどの捜査方針を打ち立てていたが、ここまできて、さらに「同様に誘われた女性からの聴取、ダイヤルQ_2業者からの聴取、医学・薬学関係者からの情報収集」などと、より細かく、地道な捜査が続けられていた。

「必要があれば、いつでもご連絡しますし、分かったことは逐一報告します」

安田の目は、小田垣に対してさえ疑惑に満ちているように見える。小田垣は机の上で手を組み、安田の背後に控える須藤刑事の、安田以上に冷たく鋭い視線を跳ね返した。

「君たちは、取り調べの時などによく『日本の警察をなめるな』と言う。だが、すでに逮捕した人間に対してそんな言葉を吐くのはたやすいことだ。問題は、まだ逮捕されていない人間に、同じ言葉が吐けるかということだ。腹の中で舌を出し、涼しい顔で市民生活を続けている犯罪者も、間違いなく、相当数いる。人々の心の中には必ず警察権力に対する挑戦的な気持ちがひそんでいる。一般市民は、誰もが心の底から警察に協力的とは言えない。自分たちが危険にさらされ、恐怖におののくのは勘弁してもらいたいが、その一方では、我々が犯人を捕まえられず、四苦八苦して失態をさらすのを見たいとも思っている」

「――」

老刑事は、その小さな目の奥にぎらりと怒りを見せながらも黙っている。須藤刑事の瞳にこの光が見える限りは、彼は現場でやっていかれるだろうと考えながらも、小田垣は言葉を続けた。

「つまり、心底協力態勢を取れるのは、この組織の人間同士でなければ無理だということだ。その我々が、立場の違いがあったとしても、こういう窮地に追い込まれてなおかつ、互いに反発するのは得策とは思えないがね」

「反発など」

小田垣は、もう五、六年か、またはそれ以上は着ていると思われる刑事のコートを眺め、それから安田課長を見た。

「私は自分が必要と思った行動を取る。そして、自分が必要と判断した行動を君たちに要求する。それに反発は許されない。それは、私の立場があるからだ」

「――」

「低次元なことを、あれこれとやりあっている暇はない。外から見れば、我々はまったく同じ種類の、警察の人間だ」

そう言うと、小田垣はさっと席を立ち上がり「本部に行く」と言った。背後からは「行ってらっしゃい」という、若い刑事の冴えない声が聞こえた。

自分用の車を駆りながら、小田垣は腹の底から怒りが噴き上がってくるのを必死で抑えていた。

——なぜ、先が見えてこないんだ。

今日の被害者が、同じ犯人の手にかかっていてくれたら、と思う。

——そして、それがあの男と関わりのある者であれば。

だがこれは、ただ単に小田垣一人が考えていることにすぎないのだ。確証があるわけではない。

それでも、こうも手がかりが摑めない以上、犯人が再び新しい被害者を手にかけるのを待つよりほかはないような状況にある以上、小田垣はもう少し自分の推理を進めてみたいと思っていた。できるかぎり彼の周囲を警戒して、彼が何か行動を起こすのを待ちたい。何しろ、警察と無関係とはいえない立場にある者が、捜査が難航しているのを知りながら、あえて口を開こうとはしていないのならば、正面から聞いても結果は目に見えている。

アクセルを踏み込みながら、小田垣は思わず唇を嚙んでいた。

――俺に対する挑戦か。

犯罪が露見し、犯人が検挙されるまでには、偶然の力が大きく作用している。

本人が、いくら完全犯罪をもくろみ、また計画どおりにすべてを運ぶことができたとしても、たとえば急に雨が降り出したり、列車が遅れたり、またはほかの人間が急に飛び出したりという偶然の作用が、たとえ何年間もかけて練り上げた犯罪でも、その完全性をもろくも打ち砕いてしまうことは珍しくない。また、その一方で、特に何かを隠すつもりでもなく、とっさの犯行だったにもかかわらず、偶然が作用して事件を迷宮入りにしてしまうこともある。

小田垣は、運などという言葉を使うのが好きではない。ましてや、罰《ばち》が当たるとか、悪運が強いとか、そんな言葉も信じていない。すべては論理が組み立てていることにすぎない。だが、それにしても、確かに偶然というものがあることだけは否定できなかった。犯人の側からみても、捜査側からも、いくら丹念に計算し、論理を組み立てたところで、偶然に邪魔をされて、何もかもがご破算になることは珍しくはないのだ。その偶然が今回の事件にも作用しているのだろうか。犯人の側にばかり有利に、偶然が作用しているのか。

――偶然、たまたま。

被害者の女性たちは、現在の捜査段階では、誰もが偶然街角でティッシュ・ペーパーを配られたと考えられている。彼女たちはティッシュを見ながら偶然電話をかけ、偶然話した相手と会う気になり、偶然殺された。たまたま、話した相手が悪かったということだ。

犯人は、偶然殺害の手段を思いついた。偶然出会った女に、偶然手に入れた注射器と薬品で注射をし、死にいたらしめた。

最近の犯罪者、特に若年層の犯罪者には、たとえ自分のナイフで相手を刺し殺したのだとしても、自分は「刺した」だけで、死んだのは被害者の勝手だという言い方をする人間が多い。自分は「刺したい」と思っただけで、相手の死を望んでいたわけではないというのだ。

偶然、たまたま、相手が死んでしまった。

だから、自分は刺したことに関しては悪かったと思うが、殺してしまったことに関しては、悪かったとは思わない。

その論理を当てはめれば、今回の事件も、犯人は「たまたま」知り合った女と「たまたま」ホテルに行き、「たまたま」注射をしたのは、自分が性的快感を高めたかっただけで、相手が死んでしまったのは「たまたま」そうなっただけだ、ということになる。

——冗談ではない。自分の性的関心だけのために「たまたま」殺すような奴を、誰が放っておけるというんだ。

こんな時の小田垣の顔を、おそらく誰一人として見たことはないはずだった。彼は、眉間に深々と三本の縦皺を寄せ、唇を噛み、明らかに苛立った、不機嫌な顔でハンドルを握り続けた。目の前をぐずぐずと走っている白い軽自動車に舌打ちをし、交差点では信号が変わるぎりぎりに飛び出してきた主婦の乗ったスクーターには、口の中で汚らしい罵倒《ばとう》の言葉を吐いた。

自分の論理の組み立て方が犯人に劣るとはどうしても思えない。だが、組み立てようにも、あまりにも決定的な材料が少なすぎるのだ。何か重大な見落としがあるとしか考えられない。犯人は、小田垣とは異なる思考回路の持ち主であることをもっと意識する必要がある。小田垣の常識の概念と、犯人の概念とは異なるのだと、もっとはっきりと自覚する必要がある。

どう見ても積載量オーバーの大型トレーラーが隣の車線から幅寄せをしてくる。小田垣は激しくクラクションを鳴らし、アクセルを踏み込むと、トレーラーの運転席に並び、わずかな隙間をついてトレーラーの前に滑り出た。さらに斜め前のトラックの前に滑り込み、ジグザグにハンドルを切りながら、アクセルを踏み続けた。背後から、いくつかのクラクションが響き、すぐに小さくなった。

25

一月二十日　午後三時

病院の法医学研究室に着くころには、小田垣は普段通りの平静な表情に戻っていた。

事務室の扉を開くと、いつもの女事務員はいなくて、代わりに沼田とか呼ばれていた学生が顔を上げた。渋沢は相変わらずつまらなそうな顔でぼんやりと椅子に寄りかかり、天井を見上げている。その様子がいつもと違って見えて、小田垣は一瞬おやと思った。

「僕、お茶を入れてきます」

小田垣が渋沢に声をかけ、渋沢がだるそうな様子で立ち上がると、沼田は気軽な様子で部屋を出ていった。

「いつもの、彼女がいないね」

「ついさっき、怒って出て行きました。まあ、大方肉まんでも買いに行ったんでしょう」

「怒って？」

「例の、電話代のことでね」

渋沢はつまらなそうな顔で「最近はそんなに使ってないつもりだったんですがねえ」と続ける。暮れも正月も関係がなかったかのような冴えない表情はいつものままだが、どこか違うと思ったのは、渋沢の髪が極端に短くなっていたせいだった。

「また、ずいぶんさっぱりしましたね」

小田垣の言葉に、渋沢は照れた笑いを浮かべながら、ほとんど五分刈りに近い頭を撫で回し「年の初めくらいね」と言った。髪が短くなったせいか、その表情は、研究者というよりも、職人と呼んだ方が似合うくらいだ。新鮮と言えば新鮮だ。だが、その分、彼の野性の部分がむき出しになったようにも見える。

「前も、こういう頭だったんです。僕が床屋に行くのなんか、せいぜい半年に一回程度ですから」

「あとは忙しくて行ってる暇もありませんか」

「いや、面倒なだけです」

半分怒ったように見える照れ笑いを見ているうちに、沼田が茶を運んできた。渋沢は

「ああ」と言って茶を受け取り、沼田に何かの指図をして研究室に行かせた。素直なアルバイト学生は、爽やかすぎるくらいに「はい」という声をはっきり発音して、人なつこい笑顔を残して去っていった。

「解剖の所見は、さっきの刑事さんに渡しましたけど」

「今日の被害者のですね。もう、解剖は済んだんですか」

安物の茶をすすりながら、小田垣は渋沢の指先を何げなく見ていた。

この指は、何十、何百という身体を切り裂いてきた。もちろん、仕事とはいえ、彼はしごく冷静に人間の死体をさばき、乾いた音をたてて頭蓋骨を切り開いてきた男だ。渋沢の全体から来る、無骨なイメージとは異なる、ピンク色の指先は、たび重なる消毒のせいだろうか。

「ああ、小田垣さんは今回の事件にはタッチしてないんですね」

「刑事が、犯人は別だと言っていましたからね」

「そう。おそらく、犯人は別でしょう」

小田垣の言葉に渋沢も頷き、片手で反対側の肩を押えながら首を回す。

——奴は、完全犯罪を目指している。それだけ、死体についての知識にも勝っているということだ。

小田垣は、最近習慣のようになってしまっている、「もしも」で始まる自分の中のイメージを膨らませ始めた。

「遺体には毛布がかけられてあった。被害者の顔を隠したり、毛布や布団をかけてやったりする場合は、犯人が被害者の顔見知りの場合が多いですから、彼女の身辺を洗えば簡単に犯人は割り出せるんじゃないですか。おそらく、恋人が別れ話か何かに逆上して、思わずかっとなって犯行に及んだっていうところでしょう」

もしも、犯人が医学関係者というだけでなく、こちらの動きも十分に知り得て、おまけに遺体に関する知識の豊富な人間だったら。捜査がどのような段階で行き詰まるかを承知しており、細かい証拠の隠滅に関してもプロ級の知識を持っているとしたら。

——そう、たとえば、彼だ。彼ならば、完全に我々の目をくらますことができる。

小田垣は、ゆっくりと今日の被害者に関して話している渋沢の表情を追っていた。彼ならば、または彼と同じような立場の人間ならばと、イメージの世界が膨らみ、それまで解けなかったパズルが面白いほど簡単に解けていきそうな気がする。唯一残されている煙草の吸い殻にしたところで、彼ならば、簡単に偽装できるにちがいない。

「こう、あちこちのホテルで遺体が出ちゃうと、ホテルのほうもイメージ・ダウンで困るんじゃないですかね」

「今の人は、そんなことは気にしないでしょう。最初の頃こそ騒ぐかもしれないが、忘れるのも早いから」

——カリウム溶液に関する知識にしたところで、こちらの捜査を攪乱《かくらん》するために、わざと提供している情報かもしれない。おいしい餌を撒いて、捜査の方向を乱しているのかもしれないのだ。

馬鹿馬鹿しい想像だとは思いながら、小田垣はそのイメージをぬぐい去ることが出来なくなりつつあった。

分かっているのは、犯人が馬鹿な人間ではないということだ。そして、彼は何らかの世界に通ずる者であり、持っている知識を駆使して、女を殺し続けている。小田垣は、自分の理解の範疇《はんちゅう》を超えている人間のすべてを否定するつもりは毛頭ない。だが、それにしても、渋沢には理解できない部分が多すぎる気がする。

「僕らの仕事は、暇なときには暇なんですけどね、一体死体が運ばれてくると、立て続けになることが多いんです。一昨日までは暇だったんですが、昨日の明け方に呼び出されて以来、なんだか続いちゃって」

小田垣は、髪型のせいで急に若く見えるようになった監察医の顔をじっと見ていた。

「——何です」

小田垣の視線に気づいたらしい渋沢は、少しまぶしそうな顔で小田垣の視線を受け止める。とたんに小田垣はできる限り穏やかに見える笑みを浮かべた。

「いや——前に僕が話した女性のこと、覚えていますか」

その言葉に渋沢はにやりと笑い、「ええ」と答える。

「どうです、今夜あたり、行ってみませんか」

「へえ、僕にも紹介してくださるんですか」

「紹介なんていうものじゃない。ただのバーの女の子です」

「でも、小田垣さんが惹《ひ》かれてる女性なんでしょう」

プライベートな部分での渋沢の表情を見てみたい。そして、できることならば、小田垣は独自に渋沢の行動を洗ってみたいという気持ちがある。

渋沢は少し考えたあとで、少し言いにくそうな表情で聞いてきた。

「僕は、平気ですけど、小田垣さん、そんなことをしている余裕があるんですか」

「私が、あんまり本部にべったりと居ついていると、部下が窮屈な思いをするんでね。息抜きもかねて、今夜あたり行こうかと思ってたところです」

「そうですか。じゃあ、お供しましょう」

捜査本部に戻る車の中で、小田垣はますます目まぐるしく頭を働かせていた。今夜も、捜査に大きな変化が起こらなかった場合、署を出てからもう一度渋沢を迎えに行くことになった。

——今夜も、彼女は花をあしらっているだろうか。

小田垣が行くたびに、摩衣子というあの女はいつも蘭の花を服や髪にあしらっている。

いつ小田垣が行くとも知れないのに、あの女は「勘だ」と言っていたが、そう簡単に占いなどというものが当たるとも思えない。もしかしたら、彼女は毎晩小田垣を待って蘭の花を飾っているのではないだろうか。彼女が身につけてくる花は、いずれもそれほどあちこちに売っている花ではない。むしろ、売っているのを探すのは大変なことだ。

――連れのいる自分に対して、あの女はどんな反応を見せるだろう。

ついつい、思いが散乱しそうになる。渋沢が、果たして仕事とは関係のない女と話す時にどんな表情を見せるか。小さな仕草の一つ一つに、どんな意味を込め、女たちの話題にどんな反応を示すか。

――もちろん、本気で疑っているわけではない。ただ、気になるだけだ。

ハンドルを握りながら、小田垣は、もしかしたら自分がいかにも無意味なことをしようとしているかもしれないと考えた。すべては無駄なことかもしれない。

だが、頭の中だけであれこれと考えているよりは、少しでも動いていたほうが良いのだ。たとえ彼が事件とは全く無関係だとしても、仕事を離れて酒でも飲んでいたら、彼の話の中から新しい糸口が見つけられる可能性だってあるかもしれない。

殺伐とした捜査本部に向かいながら、小田垣は少しでも新しい興味の対象が生まれたことに満足していた。

「何だ、今日は休みなの。電話しておいたじゃないか」

ところがその夜、予定どおりに渋沢を連れて「バー・マリエ」に行くと、意に反して摩衣子はいなかった。

「申し訳ありません。一度は来られるって言ってたんですけれど、引っ越しで、ばたばたしてるとかで。小田垣さんがお客様をお連れするからって、言ったんですけどねえ、首に縄をつけて連れてくるわけにもいかなくて」

この店に来て、カウンターでなく、ボックスの席に座るのは初めてだった。素早くお絞りと箸を運びながら、ママが愛想笑いを浮かべて小田垣と渋沢を見比べる。

「それにしても、お珍しいわね、小田垣さんにお連れ様がいらっしゃるなんて」

カウンターの中のバーテンダーは、いつもと同じポーカー・フェイスで、カウンターの向こうで黙々と手を動かしている。

「こちらも、警察の方？」

「いや——関係者というところだ」

ママは、小田垣も昔渡された記憶のある、薄い上質の紙でできた名刺を取り出すと、馬鹿丁寧なしぐさで「ごひいきに」と渋沢に頭を下げる。渋沢は、髪型のせいもあって、夜のこんな雰囲気にはますます不似合いに見えた。

「学生さんみたいな感じ。違います？」

「まさか、こんなに老けた学生がいるもんですか。違います」

ママの言葉に渋沢は硬い顔で答える。その表情を受けて、ママは目元に疲れのにじみ出た愛想笑いを浮かべた。こういう堅い人間の相手をするのがもともと得意ではない女だった。

「こういう店に来るのは、僕、本当に久しぶりです」

やがて、ママが別の客のほうへ行ってしまうと、渋沢はぼそりと言って照れた笑いを浮かべた。学生と呼ぶにはだいぶ無理があると思うが、そんな笑顔はやはり年齢よりも若く見えた。

「渋沢先生は、今年で幾つになるんです」

「僕ですか。今年で大台です」

「ああ、じゃあ、僕とちょうど五歳違うのかな」

「そんなものですか。僕は、もう少し離れてるのかと思ってた」

そう思っていたと言うわりには、彼は小田垣に対して、特に遠慮したり緊張したりということがなかった。

渋沢は、グラスに満たされたアルマニャックを慈《いつく》しむような眼差しで見つめ、ほんの少量の酒を喉に流し込むと、ゆっくりと香りを味わいながら舌の上で転がし、それから「うまい」と言った。

「それにしても、すごいスピードですよね」

満足げに鼻から息を吐きながら、渋沢は一人で納得するように何度か首を振り、グラスを目の高さに掲げて、小田垣と酒を見比べている。

「何がです」

「三十代の半ばにして、外でこういう酒を飲めるなんて。さすが、キャリアだな、とね」

小田垣は、自分もグラスを掲げながら、片方の眉をわずかに動かした。

「特に高級というわけでもないですよ。口にあっているというだけだ」

「だとしたら、ご趣味がすでに高級なわけですね」

渋沢は、学生っぽい外見に似合わない落ち着いた表情で笑う。

「そんなこともありませんがね」

「それにしても、残念だったな。小田垣さんの好みに合う女性っていうのは、どんな人だったのか、僕は本当に興味があったんですがね」

今度は小田垣は鼻で軽く笑った。

「どうしてそんなに興味があるんです」

「別に。小田垣さんに興味があるんですよ。いわゆる、エリートという人にね」

「なぜです」

小田垣は、努めて落ち着いた眼差しを送ったつもりだったが、その視線を受け止めた渋沢の表情は、皮肉っぽい笑みを浮かべながらもどこかに真剣なものがあった。

「さあ。僕とは無縁な世界の人だからじゃないですか」

「渋沢さんだって、十分に立派じゃないですか」

「止《よ》してください。そんなこと、考えてもいらっしゃらないでしょう」

渋沢は、愉快そうな顔でグラスを傾ける。小田垣は、まだ酔っているはずもない渋沢が、挑戦的な言葉を吐くのを落ち着いて受け止めていた。彼は、はっきりと自分と小田垣が異なる世界の人間だと感じているらしかった。それなのに、小田垣の誘いを簡単に受ける理由が小田垣には分からない。もしかしたら、彼は小田垣の思惑に気づいていて、わざと誘いを受けたのかもしれないとも思う。だとしたら、あなどれない相手だということだ。こちらの意図に気づいてしまっていれば、彼はボロを出さないだろう。

それにしても、今夜は店内は案外混んでいて、いつも小田垣が一人で訪れる時とは雰囲気が違って感じられた。

——つまり、今夜は私の日ではなかったということかな。彼女まで休みとは。

暇な時に限って来ていたのだと分かって、小田垣は一人でそんなことを考えていた。

「響かないといいですね、今度の事件が」

「響くとは？」

渋沢の方から今度の事件のことを口にするとは考えていなかったので、小田垣は急いで頭の中から雑念を払い除《の》けた。

「出世に、ですよ」

渋沢はグラスの向こうから、なおも皮肉めいた笑顔を向けてくる。

さっきから自分を挑発しているように感じられて、その手には乗らないぞと思いながら、小田垣は口元だけで笑って見せた。

「事件が解決するまでは、そんなことは考えないさ」

「そうかな。キャリア組の小田垣さんみたいなタイプの人が、考えないはずがないと思いますけどね。僕にはよく分からないし、興味もありはしないけど、これで、事件が万事解決したら、小田垣さんの得点としては大きいはずだ。万が一、迷宮入りにでもなれば、やっぱり多少は響くんでしょう」

「どうですかね」

「僕が、こうして旨い酒をご馳走になっている間に、平の刑事たちは、必死になって働いているわけだ」

渋沢は一つ深呼吸をすると、学生っぽい外見とは不釣り合いな、醒《さ》めた目で小田垣を見る。

「彼らがそれを望むんだから、仕方がないでしょう」

「まあね。いないと困るけど、傍にいられても困るっていうのは、分からないじゃないですけど。僕のところの、あの事務員みたいにね」

「僕は、事務員と同じですか」

「監視してるという点では、同じようなものでしょう」

そう言うと、渋沢は穏やかに笑った。

――迷宮入りになるかどうか、この男にかかっているのだとしたら。

「結局、薬物は検出されなかった。と、いうことは、やはり先生の意見が正しいということですか」

小田垣は、渋沢の表情に現われるどんな変化も見逃さないつもりでグラスを傾けた。渋沢は、口元に残っていた笑いの余韻をすぐに引っ込めて、顎をしゃくるように頷く。

「僕ら、学生の時に、その実験をしたとお話ししましたよね」

「カリウム溶液のですね」

「ええ――」

両手でグラスを包み込み、渋沢はその時のことを思い出そうとするかのように、遠い眼差しになった。

「犬を、殺したんですがね」

「ああ、そんなお話でしたね」

「確かに僕らは実験で動物を使うことが多い。そういう点では残酷だと言われることも多いです。犬くらいに大きくなると、瞳に表情があるじゃないですか」

「まあ、マウスとかウサギとかよりは、人間に近い感じはするでしょう」

「嫌な気分でしたね、やはり」

言いながら、渋沢はグラスをぐいと傾ける。いつもバーテンダーが磨いているクリスタルのグラスは、淡い照明の下でも繊細な光を放ち、氷が透明な音をたてて転がった。

「殺したと、はっきりと感じました」

「――」

小田垣は、黙って渋沢を見ていた。

「すみません。酒の席でする話じゃないですね」

「いや、構いませんよ」

「これじゃあ、息抜きになりませんよね」

渋沢は自分をあざ笑うような笑みを浮かべると、一つ深呼吸をした。

「その人が休みだったっていうのが、いけないいんだな。だから、こんなつまらない話をすることになっちゃったんだ」

「女の子が傍にいたほうが、話にはずみがつきますか」

小田垣の言葉に、渋沢は慌てたように首を振った。

「余計に何を話したらいいか分からなくなります。僕は、小田垣さんに興味があったんで、ご一緒させてもらっただけなんですから」

「興味がありますか」

「どうしてかな。不思議なんですが、ありますね、大いに」

「僕もですよ。先生に、興味がある」

「僕なんか、つまらない男ですよ」

それから三十分ほども話を続けたが、結局、小田垣には渋沢のことが今まで以上にはは分からないままだった。会話は常に流れ、話題はするすると変わり、手袋の上から手の甲を掻いているような、実感のない時間が流れた。やがて、もう一杯のグラスを空けたところで、渋沢は立ち上がった。

「もう、帰るんですか」

「研究室に戻ります」

渋沢は、そう言いながら小さく深呼吸をした。顔色も変わらず、どこにも変化が見られないところを見ると、酒には強いらしい。

「これから、ですか」

「ええ、今日中に片づけたい仕事があるもので」

小田垣は、店を出ると一応「送りましょうか」と言った。予想どおり、その申し出を断わった渋沢が自分で停《と》めたタクシーに乗るのを見届けてから、小田垣もタクシーを拾い、前を行くタクシーを追わせた。渋沢の乗ったタクシーは、彼の言葉どおり、まっすぐに彼の職場に向かった。

――そうだ。こちらも興味がある。きっと、尻尾を摑んでやる。奴には絶対に何かがある。

一介の監察医と自分との間に、因縁めいたものさえ感じるのは、勘としか言いようがない。叩き上げの刑事たちに言えば、彼らは科学捜査重視主義のキャリア組が何を言うかと、鼻で笑うかもしれない。だが、これは小田垣の勘だった。

渋沢には何かの大きな秘密がある。彼はついに一瞬たりともリラックスした表情を見せなかった。酒は旨そうに飲んでいたが、ややもすれば、すぐにこちらに突っかかってきそうなほどに神経を尖らせていた。その理由が分からない。

渋沢がタクシーから降り、確かな足取りで闇に浮かぶ白い建物に消えていくのを見届けながら、小田垣は「何かある、間違いなく」と、繰り返し心の中で呟いていた。

26

一月二十日　午後九時五十分

部屋の片隅に積み上げられた段ボール箱を一つ降ろし、それを食卓代わりに使って、できあいの弁当で夕食を済ませた後、夏季はようやく壁に寄りかかり、ぼんやりと天井を見上げていた。

引っ越しといっても、荷物の梱包《こんぽう》を解く前に次のアパートに引っ越す状態が続いている有り様だから、それほど大変なわけではなかったが、精神的には既に相当疲れているのが自分でも感じられる。

こうも引っ越しを繰り返していては、いくら遺産があるといっても、預金はみるみるうちに減ってしまうだろう。けれど、あの花屋の和也という男に訪ねてこられた翌日、夏季はまたもや思い切って引っ越しすることにした。

——こんな日が、そうそういつまでも続くわけじゃない。続けているわけにはいかないんだもの。

故郷を引き払う段階で、家財道具の大半は処分してしまっていたが、それでも上京した時は父もいたし、かなり広い間取りのマンションに住んでいたから、荷物はまだまだ相当なものだった。だが、父が亡くなって手狭なアパートに越した段階で、残った荷物はトランク・ルームに預けてしまった。今、夏季の荷物と言ったら、軽トラックに乗せるのでさえ恥ずかしいほどのものだった。

畳の上には、長いコードをくねらせて、ぽつりと電話機だけが置かれている。留守番機能もついてはいたが、どこからもメッセージが届くこともなかった。今はその機能はまったく眠ってしまっている。

深々とため息をつきながら、夏季はその電話機を眺めていた。

——誰かと話せれば、少しは気持ちも紛れるかもしれないのに。

ふと、がらんとしたクローゼットに吊るしてあるバッグを思い出した。あの中にはティッシュ・ペーパーが入っている。駅前で配られたティッシュだ。

越してきたばかりのアパートで、梱包を解いてもいない段ボールに囲まれ、一人でぽつんと電話を眺めている自分を、もしも遠くから見ることができたら、さぞかし哀れに見えることだろう。エアコンのおかげで、部屋は寒くはなかったが、代わりに空気が乾燥して、逆にがらんとした、寒々しい雰囲気が漂っている。

「――フリー・ダイヤルなんだし」

立ち上がってティッシュを取り出しながら、思わず独り言が出ていた。

――ほんの、暇つぶしのつもりでそんなことをしている人は少なくはない。

自分から望まなければ、下手をすれば一日に一度も声を出さずに過ぎてしまう日さえある。誰かに話したい思いは、日増しに募ってはいるのだが、話せる相手がいないことも分かっている。毎日、少しずつ、だが絶え間なく砂を落とす砂時計を、息をひそめて見つめているような日が続いているのだ。音もなく、砂の粒は夏季の中に小さな砂山を築き続けている。

意を決してティッシュを握りしめると、夏季は電話を手元に引き寄せた。フリー・ダイヤルで電話をすること自体が、それほど多いことではなかったから、少なからず緊張している。

ゆっくりとダイヤルをする。やがて数回のコールの後にオルゴールの音が聞こえ始め「フリー・ダイヤルでおつなぎしています」という女性の声が聞こえた。

「ヤッホー、お電話ありがとう。この電話は、あなたと、素敵な出会いを待ちわびている男の人をつなげる、キューピッドです。もちろん、選ぶのはあなた。だから、ちょっとお話が合わなくてもがっかりしないで、繰り返しお電話してみてくださいね。きっと、素敵なお喋りを楽しめる人がいるはずです。それでは、男の人と代わります」

使いふるしたテープで、あまり綺麗とはいえない若い女性の声が聞こえた。

——こんな電話が、キューピッド。

ずいぶん手軽な話だと思いながら、夏季は少しの間受話器から流れてくる音楽を聞いていた。やがて、音楽が途絶えた。

「もしもし」

見も知らぬ男の声が聞こえてくる。

「いくつ？」

「——二十四」

とっさに嘘が出た。その嘘を自分の耳で聞いて初めて、夏季は自分がもう年齢を正直に言いたくないような年齢に差し掛かってしまっているのかと思った。

「独身？」

「主人は——出張中なの」

どうせ時間潰しの電話なのだから、この際全然違う人間のふりをするのも面白いかもしれない。相手の男は、声の雰囲気からすると、夏季と同年代くらいという感じだった。

「あなたは、いくつ？」

「今、どんな格好してるの？」

「――え？」

「下着は何色？」

「――」

男の声が急にひそめられた。夏季は、握っている受話器が突然粘りけを帯びて、手の平に張りついてくるような気分になった。

「ねえ、何色のパンティー、はいてるの」

これが、前の花屋にいたアルバイトの学生が言っていたことなのだろうか。見知らぬ女と電話で話し、「はじめまして」の代わりに「いくつ？」と来る。

「可愛い声だね、俺、感じてきちゃった」

男は荒々しい声を受話器に吹きかけた。

「ねえ、電話で、やらない？」

夏季は急いで電話を切った。

――これが、キューピッド。

電話をしてから、三分とたっていない。

あんな男の相手になる女性がいるのだろうかと思うと、夏季は、あまりの馬鹿馬鹿しさに、腹までたってきた。だが、その一方で、自分の家の電話でありながら、受話器を取り上げ、ダイヤルして、他の人間の声を聞いたのは実に久しぶりだと気づいて、ひどく心細い気分に襲われた。確かに今、夏季は話し相手を求めていた。ごく普通に、話せる相手を求めていた。

「もしもし」

「もしもーし」

二度目に電話をしてみると、同じテープに続いて、今度はがらがらとした中年らしい男の声が聞こえてきた。

「いくつ？」

「——二十八」

やはり、その男も夏季の年齢を聞く。相手が相当な年齢だと思ったから、夏季は本当のことを言った。このくらいの年齢の人ならば、まともな会話ができるのではないかと思った。

「へえ、女盛りだねえ」

「あなたは」

「いいじゃないか、俺の年なんか」

「でも、知りたいわ」

見知らぬ人と丁寧語でなく会話をしている。男はだいぶ酔っている様子で、今もさらに何かを飲みながら話をしている。受話器の向こうで、かん、と缶ビールらしいものを置く音がした。

「中年親父、だな。俺は」

「じゃあ、奥さんは？」

「いいじゃあねえかよ、俺のことは」

男は苛立《いらだ》ったように荒々しく息を吐き、舌打ちをする。

「女房は、とっくに寝てるの。俺が疲れて帰ってきても、ね」

「――――」

「なあ、だからさ、あんたが慰めてくれないか」

夏季は、おぞましい気持ちで電話を切った。

普通の話をするということは、そんなにも難しいことなのだろうか。しつこく、何度でも電話をかけて、話の通じる相手を探さなければならないのだろうか。夏季は、電話をかけてみようなどと考える以前よりもなお一層心細さがつのり、焦燥感がこみ上げて来るのを感じながら、惨めな思いで少しの間、手元のティッシュを見つめていた。

「確かに、そういう人が多いんだよ。だって、考えてもみて。女の人はフリー・ダイヤルで電話してるけど、男はお金がかかってるんだよ」

今度おかしな相手が出たら、今夜はあきらめようと自分に言い聞かせながら意を決して、三度目に電話をすると、今度出た相手は「こんばんは、はじめまして」と言った。夏季も同じように挨拶を返した。電話の相手は、次に「寒いねえ」と言った。

「寒いわね」

「風邪なんか、ひいてないかい？」

「お陰様で、身体だけは丈夫なの」

「そう。それはよかった」

相手は柔らかい声で言うと、「僕も一人暮らしだから、病気になると心細いもんね」と続けた。夏季は初めてゆっくりと話ができる気分になって嬉しかった。この相手とならば、いろいろな話が普通にできるのではないかと思った。

「こういう電話をするのは、初めて？」

「実は、あなたと話す前に、二人話したんだけど、おかしな人ばっかりだったの」

夏季は正直に前の二人の男の話をした。相手は屈託のない様子で笑うと、「そういうの、多いんだよ」と言った。

「いくら、かかるか知ってる？」

「何秒かで、十円でしょう？」

「六秒なんだ。つまり、十分で、千円だよね」

「あ、じゃあ、ごめんなさいね」

夏季は慌てて時計を見た。すでに三十分は話していることに気づいたのだ。つまり、見知らぬ人に、すでに三千円も使わせていることになる。けれど、名前も知らない電話の相手は「いいよ、いいよ」と答えた。

「僕も、普通の話をしてた方が楽しいから。そりゃあさ、男ってエッチな生き物だから、僕だってそんな気分になることはあるけど、相手構わずそんなになってたら、異常性欲魔みたいじゃないか」

異常性欲魔という言葉がおかしくて、夏季は声を出して笑った。まだ馴染めない夜更けの部屋に、初めて笑い声が響いた。

「相手の女の子が、そういう話をしたい時だってあるからね、そういう時には僕も合わせることもあるよ」

「よく、電話してるの？」

「そうだなあ。週に二回くらい、かな」

「いつも、違う人とでしょう？」

「そうだね、それが残念だよね」

何かの出会いを求めて、こんな手段しか使えない人もいるのだと、夏季は改めて感じていた。人は、案外狭い世界で生きている。それ以外の世界に出会いを求めたいと思うと、こんな方法しか思い当たらないのかもしれない。

「あの、失礼じゃなかったら、年を教えてくれる？　僕はね、二十四なんだ」

「私のほうが上よ。もう二十八だもの」

「そうか。お姉さんは、ＯＬなの？」

今度も、夏季は自分の年齢を偽らなかった。その時から、相手は夏季を「お姉さん」と呼んだ。

「ううん、ＯＬじゃないわ」

「働いてないの？」

「働いてるわよ」

相手は、それ以上は細かいことを聞こうとしない。夏季が年上だと知っても、特に嫌そうな雰囲気もなかった。それが、見知らぬ相手への心遣いに思え、夏季はいつになくリラックスした気分になることができた。とりとめもない会話を楽しみ、ふと気づけば、もう一時を回っている。夏季は慌てて電話を切ると言った。

「あのさ、また、話したいね」

その言葉を聞いた時、夏季の心臓は微かに緊張した。

「だって、それは無理でしょう」

「あの、よかったら、今度はQ^{2}じゃなく、普通の電話で話さない？」

「電話で？」

「女性に電話番号を聞くのは失礼だから、僕の電話番号を教えるよ、ね？　もしも、気が向いたらでいいから、電話をくれるかな」

「――しないかも、しれない」

「いいよ、それでも。電話代はお姉さんの方にかかっちゃうけど、僕が番号を聞くよりは安全でしょう？　電話してもらえれば、こんなに嬉しいことはないけど、してもらえなくても、別に恨んだりしないから」

　夏季は、二十四歳という相手の青年が案外好ましい人物なのではないかと思い始めていた。別に、電話しないのならそれでも良いのだ。彼とならば、また話しても良いという気がする。少なくとも、またダイヤルQ^2に電話をして、あてもなく話し相手を探すよりもずっと安心で、不愉快な思いもせずに済む。

「でも、あなたの名前も知らないのよ」

「あ、そうだったね。僕、山崎です」

　青年はさらりとした声で言うと、それから「よろしく」と言って笑い声をたてた。夏季は山崎の言う電話番号をメモに書き取り、一度復唱してから「おやすみ」と挨拶した。そんな挨拶をしたことすら、とても久しぶりの気分だった。

　ベッド代わりに使うように作られているらしいロフトについている小さな窓からは、闇と冷気に包まれた町が見えた。暖かい空気は上に上がるから、ここは暖かかった。夏季は顎まで布団を引き寄せながら、すぐ近くに見える天井に向かって、もう一度「おやすみ」とつぶやいた。急に涙が出そうになったから、慌てて横を向いて眠ってしまった。

翌日、夏季は履歴書を持って、東京の外れにある小さな造園業者を訪ねた。規模は大きくなかったが、いくつかの温室も持ち、小さな鉢植えの花から庭木までを扱っている会社だった。

「本籍が愛知県っていうことは、親御さんはそちらなのかい」

「いえ、両親はもう亡くなりました」

「じゃあ、その年で、もう一人なのかい」

いかにも職人らしい風貌の社長が、夏季の履歴書を見て驚いた声を出した。夏季は伏し目がちに「はい」と答え、続いて実家が花を栽培していたのだとつけ加えた。

「ほう、何の花だい」

「蘭を専門にやっていました」

「へえ、蘭を」

社長は大きく眉を上げて、感心した声を出す。広くはげ上がって日焼けした額に、くっきりとした横線が数本入った。

「じゃあ、うちの仕事もわりあい簡単に呑み込んでもらえるかもしれないな」

社長は、人の好さそうな笑顔になると「いつから来られるかね」と聞いてきた。

――ここまでは、追ってはこられないにちがいない。

社長が一度で採用することに決めてくれたことに感謝しながら、夏季は小さく深呼吸をした。

ここまでは、追ってはこられない。

それは、安心できることにちがいなかった。けれど、それが本当の意味での安心ではないことも、夏季には十分に分かっていた。

さらさらと砂時計の砂が落ちる様が思い浮かぶ。もうすぐ、時が満ちるだろう。

その後は、今度は夏季が追い始める番かもしれなかった。

27

相手が抵抗すればするほど、気分が高揚して快感が得られる。それは、十分すぎるほどよく分かっていた。だからこそ、二人目を殺したときに、もう、そういう「遊び」はよそうと自分に言い聞かせた。

それを、三度目に殺す決心をさせたのは、殺人という大きくて魅力的な儀式への誘惑に負けただけでなく、多分にあの女が自分をそそのかしたせいもある。

女は馬鹿みたいに純情で、何一つとして疑ってはいなかった。まるで仔犬《こいぬ》みたいに、ちぎれるほどに尻尾を振って、私に向かって一直線に走り寄ってきたのだ。

私と会う時、その丸い顔は喜びに輝き、長い髪は常に輝いて風の中で踊っていた。私の一言、私の小さな動作の一つ一つのすべてを記憶にとどめようとでもするように、女は常に注意深く私を見つめていた。女にはこころもち小首を傾げる癖があり、成熟に向かう前の白い首筋をわざとらしく見せた。ほとんど化粧もしていない顔に、薄く口紅だけをつけ、頬をほんのりとピンクに染めていた。

やがて、私の中では一つの欲望が高まり、大切にしまっておいた快感の記憶よりも、さらに一層深い喜びを得たいと思うようになっていった。仔犬のような女が、私に「殺して」と言っているように思えてならなくなった。

だいたい、快楽の追求というものは、エスカレートしていくものだ。

特に、最初はそんな快楽を期待もしていなかったのに、意外なプレゼントをもらったみたいに快感を得てしまった場合は、好奇心も強くなる。そして、馬鹿でもない限り、いよいよ注意深くなり、警察の捜査が自分にまで及ばないように、自分の身を安全な場所に隔離しておけるようにと、ますます知恵を働かせるようになる。計画性が高まれば高まるほど、得られる快感も高まるというものだ。

ただ、女を殺すというだけのことだ。女なんて誰でも同じなのだから、よくよく考えてみれば、誰を殺しても同じということになってしまう。そんな下らない行為のために、自分の一生を棒に振るわけにはいかないという、そういう思いの方が自分の中では大きく育ちつつあった。

だからこそ、三度目の時は、十分に注意を払った。繰り返すことで、ぼろが出ることは、自分には考えられないことだ。繰り返せば繰り返すほど、こちらは注意深くなる。

そして、後で、一人で笑うのだ。

28

一月三十日　午前一時

冷たい雨の降る晩だった。

タクシーを降りる時、摩衣子は運転手に向かって「待っていて」と言った。先に降りようとしていた小田垣は、内心でほっとしながら、濡《ぬ》れて黒く光っているコンクリートの上に足を置いた。

「この時間になってから捕まえるのは大変でしょう？　こんな天気で、うろうろと探し回るなんて、嫌だもの」

後から降りてきた摩衣子は、小田垣がさしかけた傘《かさ》の下に一緒に入りながら、にっこりと笑って小田垣を見上げてくる。ぱらぱらと雨粒の当たる音が響き、白い息が闇に流れた。

今夜のような寒い雨の晩は、暇にちがいないと踏んで「バー・マリエ」に寄ると、案の定、店はがらんとしていた。後にも先にも、あの店が混んでいたのは、摩衣子が店を休んでいて、小田垣が渋沢を連れていった時だけだった。

摩衣子は是非とも小田垣の家の温室が見たいと言い出した。それは、これまでにも再三言われていたことだった。最初の頃は、連続殺人事件の容疑者が捕まるまでは駄目だと言っていたのだが、小田垣の気分を変えさせたのは、摩衣子が毎回服か髪に飾っている蘭の花のせいだった。

彼女は、蘭のことをよく知らないと言いながら、小田垣を喜ばせるつもりなのか、そうそう簡単には見つからないと思われるような蘭の花を探してきた。たいていはよほどのマニアでもない限りは、名前さえ忘れてしまいそうなものばかりだったが、それでも摩衣子は丁寧にメモに書き取ってきて、小田垣に花の名前を当てさせた。

そして今夜、小田垣は摩衣子の望みをかなえるべく、彼女が自分のマンションに立ち寄るのを許したというわけだ。それは、気まぐれなどではなく、摩衣子に向かっては「そのうち」と答えていたのが、今夜だったというだけだった。小田垣の中では、遠からず、そういう晩が来るということくらいは分かっていた。

「ママが知ったら、怒るかしら」

「怒りはしないだろうけど、逆にいろいろと勘ぐられて面倒だ」

タクシーの中で小田垣が言うと、摩衣子はくすくすと笑った。タクシーのリア・ウィンドウに当たる雨が、流れる街灯のせいで、車内の天井に奇妙で不可思議な模様を作り出していた。

「そうよね。こんな時間に一緒にお部屋に入って、大の大人が何もしないと思うはずがないものね」

「特に、あのママがね」

小田垣も口の端だけで笑った。

「小田垣さんて、男は人前で笑うべきものじゃない、とか思ってらっしゃるの？」

「どうして。そんなこともない」

「小田垣さんが声を出して笑うところって、想像がつかないもの」

夜半には雪になるかもしれない。そんな晩に、暖房のきいたタクシーの中で、摩衣子はなぜだかひっそりとした声で言った。

「まあ、お部屋一つが温室になってるの」

マンションに入ると、摩衣子は驚いた声を上げた。一人で暮らすには十分すぎるほどの広さの部屋は、マンションの最上階で、その中の一室が、天井の半分はガラス張りでテラス・ルームのようになっていた。温室に使うにはもってこいの環境だ。その床をタイルに張り替え、壁はビニールでコーティングして建物を傷めないようにして、小田垣はその空間を温室として使うことにした。

「普通はアトリエなんかに使うといいんだろうけどね」

「ああ、暖かいわねえ」

摩衣子は嬉しそうにコートを脱ぐ。小田垣は、黙って手を差し出し、摩衣子の手からコートを受け取った。

玄関から温室に通じるまでの間には廊下とリビング・ルームがある。それらの部屋のすべてに電気をつけて、浮かび上がったのはいかにも整然と掃除されている小田垣の住まいだった。そのほかに、書斎と寝室があるマンションは、やはり蘭の愛好家という警察関係者が、季節を通じて時折顔を出す以外は、ほとんど訪れる人もいない。温室以外の部屋も、すべての空調は自動的に働くようになっているから、室内はいつも一定の温度と湿度に保たれていた。

「すごいわあ」

摩衣子は温室の入口に置かれていたサンダルを履き、顔を輝かせて、花々の間を歩き始めた。

「カトレアがこんなにたくさん咲いてるところなんて、見たことがないわ」

小田垣は、自分もサンダルをひっかけて温室に入った。冬場は十五度に保たれている室内は、空気の流れすら静かで、外の冷たい雨など無関係の別世界だった。

「今が一番きれいな季節だからね」

小田垣は、まんざらでもない表情で答えた。実際は、自分で何もかも手入れしたいところなのだが、仕事がこう忙しくては思うようにならない。日常の手入れのほとんどは、必要なことをメモに細かく書き、通いの家政婦にやらせている。

「あら、これ、コチョウランね。綺麗ねえ」

摩衣子は暖かい室内に入り、頰をほんのりと紅潮させて花を見て歩いている。

「でも、全部の種類が同じような温度で育つわけじゃないんでしょう？」

「それは、そうだね。温度も湿度も、それから日光の具合も違いがある」

「いろいろな種類を育てるのって、じゃあ、いよいよ大変ね」

「欲が出てくるのさ。自然の色と造形ほど素晴らしいものはない。それを、自分の手で咲かせることができた時の嬉しさといったら、ないからね」

小田垣が話している間も、摩衣子は花から目を離さず、一つ一つの鉢を丹念に観て歩いている。いくつも作られた台の上には、全部で三十ほども鉢が並んでいた。もちろん、季節によって今が花の季節ではない種類も数多くあるから、ここにいれば、一年中、何かの花が咲いていることになる。

「あら、これ」

やがて、摩衣子が一つの鉢の前で立ち止まった。

「ナメクジがいるの？」

「ああ、それ」

それは、カトレアの一つだった。美しく咲いた花の数カ所が、醜く削り取られて花弁が変色し始めている。

「もらい物だったんだが、鉢の底についていたらしい」

「まあ、もう見つけたの？」

摩衣子は心持ち眉をひそめて、心配そうに花を眺めている。小田垣は、不思議な気分で摩衣子を眺めていた。

「それに、あら、こっちの。ボトリチス病にかかってる」

「通いの家政婦が、花に水をかけたんだ」

「まあ、可哀そうねえ。せっかくのきれいなお花が台無しだわ」

小さな茶褐色のしみが無数に出てしまっているファレノプシスの花を観て、摩衣子は小さくため息をつく。

「君、案外詳しいんじゃないか」

小田垣の言葉に摩衣子は恥ずかしそうに笑って手を振った。

「そう見える？」

「まさか、君の口からボトリチスなんていう言葉が聞かれるとは思わなかった」

摩衣子は肩をすくめ、両手で口元を覆って「大成功」と言って笑った。

「ボロが出ないうちに言っちゃうわね。本当は、お花屋さんに教わったのよ。そういうのを知ってると、詳しく見えるからって。だから、さっきからそういう病気のお花がないか、探してたの」

摩衣子は店にいる時よりもずいぶん鼻にかかって聞こえる笑い声を温室に響かせた。小田垣は、摩衣子が自分が思っている以上に、実は蘭にではなく、自分に興味を抱いているらしいことを確認した思いで頷いて見せた。

「でも、本当にお好きなのね。びっくりしちゃった。私のにわか知識じゃあ、とてもかなわないっていうことが、よぉく、分かったわ」

「蘭は、いいものだよ」

その時、窓の外の、ずいぶん遠いところから車のクラクションの音がした。

「あら、いけない。運転手さんが怒ってるわ」

小田垣は先に歩いて温室を出ると、リビング・ルームのソファーに置いておいた摩衣子のコートを取り上げた。

「ねえ、小田垣さんは、蘭以外はお好きじゃないの？」

後からついてきた摩衣子の肩にコートを掛けてやると、摩衣子は「ありがとう」と言う代わりにそんなことを言った。

「蘭にかなうものはないさ」

「女より？」

「ああ、女よりね。ずっと可愛い」

「女は、あの蘭よりも手がかかります？」

「かかる。第一、こっちの愛情が素直に花を咲かせないのが、女だ」

「花の咲く女もいるわ」

くるりと振り返ると、摩衣子はほんの数秒だけ小田垣の瞳の奥を覗きこむ。再び、十五階下の地上からタクシーのクラクションが響いた。

「夜分にお邪魔しました。また、お店でお待ちしてるわね。ああ、送っていただかなくて結構よ、お疲れなんだから」

小田垣が摩衣子の瞳に答える間もなく、摩衣子はコートの裾を翻して、小走りに玄関に向かった。

――花の咲く女。

小田垣は、手の平に残った摩衣子の肩の感触を味わいながら、最後の言葉を思い出していた。

もしかしたら、彼女は小田垣がこれまで関わってきた女とは違うのかもしれない、とふと思う。少なくとも、この五、六年の間に、ああいう女は現われなかった。

――花の咲く女、か。

そう感じることが、どれほど危険なことか、小田垣には十分すぎるくらいに分かっていた。

小田垣はネクタイを緩めながら壁ぎわのサイド・ボードに近づき、グラスに少量の酒を注ぐとソファーに身を沈めた。いつもの酒はかぐわしい香りとともに、熱い感覚を残して喉を伝う。

彼女は、これからも、ああいうテンポで小田垣に近づいてくるだろう。勢いで小田垣の首に腕を回してくるほど、彼女は愚かではないことが、今夜のことでよく分かった。蘭以上に興味を抱かせたい一心で、摩衣子はあれこれと方法を考えてくるにちがいない。小田垣の方から、自分に興味を抱き、何らかの行動を起こす日を夢見て、摩衣子は少しずつ距離を縮めようと努力するにちがいない。

――それが、何よりも蘭と違うところなんだがな。

そして、小田垣は長い間鍵をかけておいた心の扉を開けなければならなくなる。少なくとも、摩衣子はこの数年の間で、もっとも扉の近くまで来た女であることは間違いがない。

だが、その前に今の事件を解決しなければならないのだ。第五、第六の被害者を出してはならない。自分のことは、それからだ。

心なしか、外の静寂が深まったと思って、眠る前にカーテンを繰ってみると、闇の中を雪が舞っているのが見えた。

29

一月三十日　午前二時半

「知ってる？　外は雪だよ」

まるで数年来の友人のように、受話器の向こうから山崎の柔らかい声が聞こえてくる。迷った挙句に電話をかけて、夏季は、見知らぬ相手にそんなさりげない話をする青年は、一体どんな顔をしているのだろうかと考えた。

初めて話した日の数日後、夏季はずい分迷った挙句、山崎に電話をした。彼が本当に正確に自分の名前と電話番号を教えていたのかどうか確かめたい気持ちもあって、メモしておいた番号をダイヤルすると、ちょうど留守番電話になっていたが、テープは「はい、山崎です」と答えたから、夏季は、見知らぬ青年が自分に嘘をついていなかったことを確認した。

そして今夜で、この青年と話をするのは三度目になる。

「僕の田舎はさ、雪なんか珍しくないどころか、うんざりするくらいに降るんだけどね、東京に出てからは懐かしい気分になるから、不思議だね」

「田舎、どこなの？」

「お米とお酒のおいしいところ」

「新潟？」

「当たり」

この細い電話線一本が、こんな夜更けにも自分と外界をつないでいると思うと、奇妙な安心感に包まれる。夏季は電話機を持ったままロフトに上がり、布団にもぐりこんで話を続けた。

三十分も話したところで、夏季は「そろそろ、寝ましょうか」と言った。向こうにも仕事があるのだし、夏季にしても仕事に差し障るのは困る。

「また、電話くれるよね？」

「また、してもいいかしら」

「もちろん。いつでも歓迎だよ」

人当たりの良い、柔らかい山崎の話し方は、年齢よりも幾分落ち着いて感じられた。

たとえば、以前夏季がアルバイトをしていた花屋の学生などと、年齢的にはそれほど違わないはずなのに、これが学生と社会人の違いなのだろうかと思いながら、夏季は電話を切るタイミングをはかれなくて、向こうがほかの話題を出すのを待つ気分になっていた。けれど、山崎に向かって自分から提供する話題が何かあるわけではない。

——今夜のところは、これで寝る方がいいんだわ。

枕元の目覚まし時計に目をやりながら、夏季は諦めにも似た気分で微かにため息を洩らした。

何しろ、このところの、夏季の一日は長い。

心の片隅では常に人の目を意識して、早く新しい職場に慣れなければと思い、温室の植物の世話だけでなく、伝票を切ったり、電話の応対に追われたり、来客にお茶を出したりと、時計とにらめっこをしながら過ごしているのだ。神経は常に張り巡らされたまで、一時《いっとき》としてリラックスしているということがない。

ようやく多少なりともリラックスできるのは、あまり馴染めないこの部屋にたどり着いてからのことだが、それでも、心底安心していられるという状態ではない。

「ねえ、お姉さんて、身長はどれくらい？」

おやすみ、と言おうとしたその時、山崎が新しい話題を提供してきた。

「あなたは？」

「僕は、そうだなあ、中肉中背っていうところかな。ああ、ちょっと痩せ型かもしれない」

「私も、中肉中背ね。取り立てて特徴はないわ」

「――いつか、会えるといいね」

雪はまだ降り続いている。

夏季は布団の中で寝返りをうち、小窓から外の町を眺めた。道路は黒いままだが、家々の屋根はうっすらと白くなっている。

「僕さ、いろいろと想像してみるんだよね。お姉さんて、どんな人なのかな、髪は長いのかな、丸顔かなって」

「それは、私も同じよ。顔も知らない人とこんなに雑談してるなんて、不思議なことだもの」

「だからさ、一度でも会えたら、きっと話題もまた変わってくるんじゃないかと思って」

「――そうかもしれないわね」

「お姉さんがその気になってくれた時でいいからさ、一度、会えないかな」

「――これまでに、そうやって会ったこと、あるの？」

「ないよ」

「じゃあ、どうして私の時には会いたいの？」

「話してて、会ってみたいなと思えた人なんて、今までいなかったんだ。でも、お姉さんとだったら、おかしな意味じゃなくてさ、いい友達になれるんじゃないかと思って」

夏季は布団の中で息を潜《ひそ》めながら、眠気のおかげで多少働きが鈍り出していた頭をもう一度たたき起こした。

「――勇気がいるわね」

「大丈夫だってば。ちょっと、順番が逆になっただけだよ」

「会ったら、『なんだ、こんなヤツと話してたのか』って思って、がっかりするんじゃない？」

「それはお互い様だよ。お姉さんだって、そう思うかもしれないでしょう？　逆に、特別な感情を持っちゃうことだってありえるよね」

「まさか。私のほうがずっと年上よ」

「でも、少なくとも会いたいと思うくらいに、お姉さんに興味は持ってる」

山崎はそう言うと、何度も「お姉さんが会いたいと思った時でいいから」と言った。

「知り合って話すのが普通なら、今のうちに軌道修正をしようよ。心配なら、人の多いところで待ち合わせしたっていいじゃないか、ね？　それで、遠くから見て、嫌だと思ったらそのまま帰っちゃったっていいよ」

「そんな失礼なこと、しないわ。会うんだったら、ちゃんと会うわ」

「ああ、よかった。そう言うだろうと思った」

「でも——もう少し、待ってくれる？　まだ、勇気が出ない」

電話を切った後、夏季は改めて見知らぬ青年のことを考えた。夏季さえ「会いたい」と言えば、彼は胸をときめかせてやって来ることだろう。夏季が望む場所へ、望むとおりにやって来るにちがいない。

肩まで布団を引き上げながら、夏季は一つため息をついた。時計を見ると、もう三時半に近くなっていた。

——会いたいと思った時。

山崎が二十四歳の青年らしく、電話でしか話したことのない夏季に対して、淡い期待を抱いていることは十分に考えられることだった。彼は、そのくらいの年代の青年にありがちな、「年上の女性」のイメージを作り上げてしまっているのかもしれない。

電話線一本でつながれている山崎に、今の夏季は心理的にはずいぶん頼ってしまっていることは自覚している。彼は無邪気に夏季の電話を受け、無邪気に夏季に興味を抱き、そして無邪気に「会いたい」と言う。

——たまたま、電話がつながっただけの相手。何の利害関係も、縁もない相手。

淡い闇の中で目を凝らしたまま、夏季は背中で微かに速まる鼓動を感じ、急に息苦しさを覚えて、大きく深呼吸をした。

——けれど、ほかに会いたいと言ってくれる人はいない。何も聞かずに、ただ会いたいと言ってくれる人など。

まだ雪は降っているのだろうか。

夏季は目まぐるしく回転し続ける頭を枕の上に横たえたまま、できるかぎり精神を集中させようとしていた。

ここまで来たからには、何としてでも、彼から逃げ通してみせる。その一方では、いつか山崎と会うだろう。それが、夏季のこれからの人生にどのような影響を及ぼすことになるのか分からない。可能な限り考えを巡らしてみても、現実はいつも思いもよらぬ方向に夏季を流してきたではないか。

——でも、彼は会いたいと言ってくれた。あとは、すべての条件を整えることだわ。そして、彼が約束を破らない人物であることを見極めて、彼に絶対に会いに来させること。

今夜は、それだけで満足するべきだ。

顔も知らない青年が、人なつこい笑顔を浮かべている様を想像しながら、夏季はいつになくすっきりとした気持ちで眠りに落ちていった。

30

二月三日　午後三時二十分

前日に続いて、小田垣は朝から渋沢の尾行を続けていた。

小田垣が難しい顔で捜査本部にいないことが分かれば、刑事たちは一様にほっとした表情を浮かべ、今ごろはさんざん陰口を叩いていることだろう。その様が目に浮かぶようだ。部下たちが小田垣の命令以外にも、自分たちの「勘」に頼った捜査を続けていることは分かっていた。だが、もはや小田垣はそれについて彼らとやりあうつもりにはなれなかった。

科学捜査にのみ頼るには、今回の事件は物証が少なすぎる。そういう場合、やはり頼りになるのは長年の経験が培う勘であることくらい、小田垣にもよく分かっていた。とにかく一日も早く事件を解決できさえすれば、それで良い。

それに、小田垣もまた、自分の勘を信じて、いよいよ動く時が来たと考え始めていた。勘に頼って行動することなど、これまでの小田垣にはまずなかったことなのだ。だが、よくよく考えてみれば、科学的根拠や論理に裏づけられる捜査で評価を得てきた小田垣の、これまでの警察官としての経歴も、その大本《おおもと》にあるのは、成功の匂いを敏感に嗅ぎ取る、小田垣の「勘」が根底にあるのかもしれない。さまざまなデータに基づいて行動してきたすべても、最終的には小田垣の勘が決断を下したとも言えなくはないのだ。

小田垣は、まず渋沢の経歴などのすべてを調べ上げた。そして、これまでのところ、彼の履歴に一点の曇りもないことを確認した。

静岡県の出身で開業医の父親を持ち、三人兄弟の次男。県内の一流進学校を卒業後、ストレートで大学の医学部に入学。六年後に卒業し、現在の法医学研究室にすすんでいる。成績はかなり優秀な部類に入ったらしい。現在に至るまで賞罰などはなく、横浜市内の安アパートで一人で生活している。

さらに、一連の事件が起きた時の彼のアリバイも簡単に洗ってみたが、現在のところ、彼に嫌疑をかける要素は一つとして見つからない。

大学病院の入口にある松の植込みの周囲には、数日前に降った雪が泥にまみれて残っていた。

――現場で鍛えた勘とは違うだろうがな。

犯人は案外身近な場所に潜んでいる、または身近な場所にいる誰かと何らかの関係があるのではないか。それが小田垣の勘だった。

小田垣はハンドルにかけた指をとん、とんと動かしながら、つい今しがた研究室に消えた渋沢の後ろ姿を思い起こしていた。

今朝、渋沢は自宅のアパートを出ると九時過ぎには一旦《いったん》研究室に出勤し、それから三十分後の午前九時四十分には、徒歩で出かけた。

彼は電車を乗り継ぎ、午前十一時過ぎに私鉄沿線のある駅に降り、二軒の不動産屋に立ち寄った。だが、どちらの店にも十分とはおらずに、さっさと出てきてしまい、商店街を歩き始めた。途中で一度立ち止まると、胸元から手帳を取り出し、簡単に何か書き込んで、すぐにしまっている。

それから渋沢は、途中にあった花屋に立ち寄った。一軒目から手ぶらで出てくると、再び手帳に何かを書き込む。また歩き始め、花屋があると入っていき、出てきては手帳を取り出す。それを彼は三回繰り返した。さらに歩き始めたところで、ポケット・ベルに呼び出され、近くの電話ボックスに入った後、渋沢は大学に戻ってきた。

それは、昨日の行動ともあまり変わってはいなかった。

昨日も渋沢は一旦研究室に出勤した後、午前十一時を回ってから外出し、やはり今日とは異なる駅で降りて、今日と同じような行動をとった。二日続けて、彼がそれぞれに違う町の不動産屋と花屋にどんな用事で立ち寄ったのか、それはこれから調べようと思っている。

すでに二時間近くの間、小田垣は大学構内には入らずに、外の生け垣の陰に車を止めて、そこから研究室の入口を眺めていた。彼は、とん、とんとハンドルを指の腹で叩きながら、一つ一つの情報を頭の中で整理しようとしていた。

――引っ越しでも考えているだけだろうか。それならば、花屋に寄る必要はどこにあったのか。それとも、彼が以前に言っていた、人探しなのだろうか。花屋で誰を探すというんだ。

もしも、彼が、たとえばトリカブトのような特殊な花を探しているとしたら。

だが、そんな想像は簡単に打ち消された。毒物を手に入れる必要などないことを、小田垣は渋沢本人の口から聞いているではないか。

結局、膨大な時間を費やした薬物検査は、徒労に終わった。被害者を死に至らしめるような薬物はどの遺体からも検出されなかった。つまり、ますます渋沢の推理に信憑《しんぴょう》性《せい》が出てきたということだ。

捜査本部では渋沢の意見を大いに取り入れ、容疑者を医学・薬学関係者に絞って、まずは前科前歴のある者の洗い出しを始めている。

たとえば渋沢の言うとおり、犯行に使用されたのがカリウム溶液であった場合には、劇薬などとは異なり、入手は非常に容易になるから、管理状況を関係方面に問い合わせたところで、成果が上がるとは考えにくい。高校や中学にでも置いてあるような薬品だけに、そこから容疑者を割り出すことはまず困難と考えて良かった。

さらに捜査陣は被害者の自宅の電話の通話記録を徹底的に調べ上げ、四人の被害者が共通して電話している場所がないかも調べた。

その結果、四人の被害者は各々自宅から相当な回数、テレホン・クラブやダイヤルQ_2に電話していたことが明らかになった。

彼女たちは、電話をかけている時間帯にばらつきはあったものの、フリー・ダイヤルで話ができる気楽さからか、いずれも長いときには一通話に二時間以上もの時間を割いている。だが、その都度会話した相手が分かるわけではない。

四人のうち、二人か三人が共通して電話していたパーティー・ラインこそあったものの、四人全員が電話していた番号は見あたらなかった。それほどまでにダイヤルQ_2は浸透し、多くの番号が出回っているということだった。

さらに、犯人の方も、捜査の手がそこまで伸びてきた場合のことを十分に考えていたと思われる。奴は、自分が電話していたことが記録されている可能性を考えたのだろう。

つまり、カリウム溶液に着眼し、十分に使いこなしたと言っても良い犯人は、知能的に見ても、そうそう馬鹿ではないということだ。

捜査陣はさらに犯行当日の被害者の足取りも、可能な限り調べ上げていた。現場での聞き込みはもとより、途中で立ち寄った場所から、友人・知人に洩らした言葉に何かのヒントが隠されているのではないかというところも、事件の前日までに家族に変わった言動を残していないかということも、かなりの広い範囲にわたって捜査したが、彼女たちは他人に対しては一度としてテレクラだのダイヤルQ2だのという言葉を洩らしていない。フリーター、OL、主婦と、彼女たちを取り巻く環境はさまざまだったが、いずれも特に変わった生活をしていたわけではない。彼女たちは全員に恋人なり夫なりがいたのだし、陽気で、むしろ人づきあいが良いという評判さえ聞かれている。唯一、二人目の被害者が友人に対して自分のセックス観を「フィーリングが合えば、相手は多いほうが楽しい」と洩らしている。さらに「恋人同士じゃなくても、セックスくらい簡単にできる」とも言っているのが、彼女の行動を裏づけるものだったと思われる。

つまり、彼女の言葉からも推測できるように、四人の被害者は、各々、日常生活にはとりたてて問題のないものの、性的欲求や好奇心を満たすために、いわゆるゲーム感覚で電話を使用していた可能性がかなり高いということだけは確かだった。

そんな部分を犯人は見事に突いてきたのだろう。犯人の側にそのつもりがあったとしても、ある部分までは女性の同意がなければ、相手をホテルにまで連れ込むことはかなり困難なことにちがいない。ごく簡単に、気軽にセックスを楽しもうとする感覚と、無防備に相手を信じてしまう単純さが、今回の犯行を呼んだといっても過言ではないにちがいない。

少し以前までは、ホテトル嬢などを装った犯人に男性が被害に遭うという事件がかなり多かった。その多くは、出張などでホテルに泊まっている男性にバーやロビーで声をかけ、さらに男性を誘惑するような言葉を吐いて部屋にまで連れていかせ、すっかりその気になっている被害者に、言葉巧みに睡眠薬を混入したものを飲ませて眠らせ、その間に金品を奪うというものだった。犯人は日本人だけでなく外国人女性も混ざっており、かなり組織的に動いているという情報も入っていた。しかし、彼女たちの目的は金品を奪うことにあったから、生命まで奪われた被害者はいないはずだった。

男たちは、ほんの少しの助平根性を笑われ、世間は、若くて美しい女にはいとも簡単に警戒心を解いてしまう哀れな男たちの心理を愚かだと罵《ののし》った。

「据え膳喰わぬは、なんて思ってるから馬鹿なのよ」

女たちはそんな言い方をして冷笑を浮かべていたはずだ。それなのに、今は笑っていたはずの女の方がセックスを餌におびき寄せられ、金品どころか生命を奪われている。

――女の方にも、問題はある。

犯罪は常に相手の心の隙につけ込むものだと小田垣は考えている。もちろん、相手の隙を狙って犯行に及ぶ人間が悪いに決まっている。だが、つけ入られる隙がまったくなかったと言い切れる被害者は、それほど多くはないにちがいない。特に性的な犯罪の場合は、その度合いが強まりはしないか。何もすべてとは言わないまでも、十分に注意していれば防ぐことも可能だったと思われる犯罪が跡をたたないのはなぜか。

――誰も彼もがセックスに踊らされて生命を落とすというわけか。

小田垣は、ゆったりと運転席のシートに身を委《ゆだ》ねながら、灰色の空を見上げていた。

その時、車の後方から歩いてきた女性が、運転席をちらりと見、それから愛想笑いを浮かべて頭を下げてきた。

「うちに、ご用ですか？」

例の、渋沢の研究室の女事務員だった。小田垣はパワー・ウィンドウを下げ、女事務員を穏やかに見上げた。

「いや、ちょっと考えごとをしていたものでね」

小田垣の言葉に事務員はころころと笑った。

「考えごとなら、駐車場に車を止めてからにすればいいのに。あの標識、見えません？ここ、駐車禁止なんですよ」

「すぐに、動かします。これから伺うところですから」

言いながらエンジンをかけると、事務員はにっこりと笑って「じゃあ、お先に」と軽く頭を下げた。冬至が過ぎてから、日脚は延びてきているはずだが、四時を回って、やはり辺りには冷たい夕暮れが忍び寄り始めている。

「あなたにちょっと伺いたいことがあったんだが」

数メートル先を歩き始めていた事務員にすぐに追いつき、車から顔を出すと、事務員は笑顔のままで振り返る。

「研究室の電話代が大変なんですって?」

大学の構内を、事務員の歩調に合わせて車を進めながら小田垣が聞くと、事務員は顔をぱっと輝かせて「そうなんですよぉ」と答える。

小田垣は、ほんの少しの距離ではあったけれど、彼女を助手席に乗らないかと誘った。

「これ、覆面パトカーなんですよね、素敵!」と言いながら、事務員は寒さで赤くなっていた頬をますます紅潮させて小田垣の隣に乗り込んできた。

「最近はね、おさまったんですけど。一時はすごかったんです。経理のほうから嫌みを言われるのは私だから、もう嫌になっちゃって」

「それは、渋沢先生がかけてたんですか」

小田垣は構内を徐行で進みながら、ちらり、ちらりと隣の事務員を見ていた。彼女は、化粧品の匂いを振りまきながら、オーバーの代わりに大きなマントにも見えるくらいのケープを身体に巻きつけている。

「ほかに考えられませんもの。それに、渋沢先生が去年の秋くらいから、暇さえあればどこかに電話してたのは確かなんですから」

「秋くらいから?」

「そうですよ。何か一人でぶつぶつ言ってたかと思うと、急に不機嫌になることもあって、そわそわしちゃってねえ。それまでは、何だか知らないけど、妙ににやにやしてたんですから、あの、渋沢先生がですよ。にやにやなんて、絶対に似合わないタイプなのに、ねえ」

女事務員は話し好きらしかった。小田垣が黙っていても、勝手にぺらぺらと口を動かし続ける。

「あんまり苛々してたときにね、私、言ってやったんです。『そろそろお嫁さんでももらった方がいいんじゃないんですか?』って。そしたら怒っちゃってねえ、『余計なお世話だ!』とか言って」

「――」

「まあ、私の見たところでは、渋沢先生はね、きっとフラレたんじゃないかな」

「渋沢先生、そういうお相手がいたの」

「さあ。聞いたことはありませんけど」

小田垣が駐車場に車を止めると、事務員は「こんな車でドライブできたら素敵でしょうね」と言いながら車を降りた。

「じゃあ、そのうちお誘いしましょうか」

小田垣の言葉を真に受けたかのように、女事務員は「本当ですかぁ？　すってきぃ！」と言って瞳を輝かせた。

事務員と並んで研究室に行く途中で、いつものアルバイトの学生が歩いてきた。小田垣を認めると、学生は人なつこい笑顔を浮かべて会釈をよこす。

「ねえねえ、沼田君。私ね、今度小田垣さんとデートするんだ」

事務員は、さっそくそんなことを言って「ね？」とでも言うように小田垣に媚びた視線をよこす。顔見知りだと言うだけで、簡単に相手の車に乗り込んでしまうのだから、今の若い女はやはり無防備すぎるのだと、ここでも小田垣は感じないわけにはいかなかった。小田垣の職業を知ってのうえだという言い訳は通用しない。

「ついさっき、警察から電話がありましたよ」

研究室に入ると渋沢がいつもと変わらない表情で、挨拶もせずに小田垣を見た。

「あなたが、こっちに来てないかって。別に急ぎでもないみたいでしたけどね」

背後に実験の道具が並ぶ研究室で、渋沢の机の上は相変わらず書類や本が山積みになっている。そこに頭を埋めるようにして、渋沢は一つのファイルを探し出し、「あ、いけねえ」などと言いながら椅子を反転させて実験台に向かっている。その姿はいつもとまったく変わった様子もない。午前中に、町の不動産屋や花屋をうろついていた時の暗い表情はそこにはなく、普段どおりの飄々《ひょうひょう》とした風貌があるだけだった。

もしかしたら、犯行のすべて、または犯人との何らかの連絡はこの電話から始まっているのかもしれないと思いながら、小田垣は署に電話をかけ、事務的な用件を済ませて一、二分で電話を切った。その間、見ないようにしながら渋沢の様子を観察していると、彼は時折、視線を宙に漂わせ、一瞬ぽかんとした表情になっては、慌てて気持ちを切り換えるような様子を二度ほど繰り返した。

「相変わらず、大変そうですね」

電話を切って声をかけても、渋沢は顔も上げずに「ああ、まあね」と答える。

「僕はもともと整理整頓が下手でね。もう少し、この辺が散らかってないと、楽なんですけど」

「せっかくアルバイトがいるんだから、もっと使えばいいじゃないですか」

渋沢は、そこでようやく顔を上げ、眼鏡の端を押し上げながら口元だけで笑った。

「いいんです。僕個人の研究ですから」

「ほう、すると、論文か何かの？」

「まあ、そんなところです」

「それは大変だな。ただでさえ、仕事の方が忙しいんでしょうに」

小田垣が笑って言うと、渋沢も表情を崩さずにまっすぐに小田垣を見上げている。

「小田垣さんと同じですよ」

「私と？」

「ただでさえ仕事が大変な時に、ご本人自ら僕のことを尾行するなんて」

そこで渋沢は声を出して笑った。けれど、今度はその目が決してほころんでいないことを小田垣は見て取った。

「今さら尾行の訓練でもないでしょうしね。そう言っては失礼かもしれないけど、僕なんかに気づかれるくらいだから、小田垣さんの尾行はきっと最低なんじゃないかな」

「――気づいていたんなら、話が簡単だ」

小田垣は照れた笑いを浮かべながら渋沢を見た。

「何をしていたんです、あんな所まで出かけて」

「前にも言ったでしょう、人探しです。でも、これ以上は言いませんよ。警察は力になってくれないと分かっていますからね、それ以上の情報を提供する必要はないはずだ。ただ、小田垣さんが何を考えているのかは知らないけど、僕は小田垣さんに尾行されなければならない覚えはありませんからね。何か、とんでもない見当違いをなさってるんじゃないですか」

小田垣は、渋沢が珍しく語気を荒らげ、一気にまくしたてる顔を、黙って見ていた。

「焦ってるんじゃないんですか。小田垣さんらしくもない、相当煮詰まってる感じだ」

怒る理由はどこにもない。それは分かっていた。だが、小田垣はその言葉を聞いた瞬間、自分の顔から血の気が引くのが分かった。一介の監察医ごときに「煮詰まっている」などという言葉を使われるとは、考えてもいないことだった。

「あなたが顔色を変える理由はないと思いますがね。不愉快な思いをしたのは僕の方なんだから」

渋沢は落ち着き払った表情で、冷ややかにこちらを見ている。

「いや、不愉快な思いをさせるつもりはなかった。お詫びします」

小田垣は、努めて平静に頭を下げて見せた。現場を動き回る刑事たちが、日常のことのように経験する屈辱や不快感というのは、このことを言うのだろうかと、ふと思う。そして、こんな不快感を味わうたびに、彼らは闘志を燃やし、心の中で呪いの言葉を吐き、いつか見ていろと自分に言い聞かせながら、ますます視線を鋭くさせていくのだろうか。

「とにかく、今日は忙しいんです。ほかに用がなかったら帰ってもらえませんか」

まだ上げずにいる頭にかぶさってきた声は、ますます冷徹な、寒々とした響きを持っていた。小田垣は一層顔が赤らむのを感じ、思わず屈辱感に震えそうになった。

「理由は後日改めてお話しすることになるでしょう。これは、私の一存で動いていることだが、何も暇つぶしに今日一日を費やしているわけではないことくらいは、あなたにだって分かるはずだ」

「昨日も、でしょう」

渋沢は鼻で笑うと、あとは小田垣に目も向けずに、くるりと実験台に向かった。

「そうそう、小田垣さん、昔、結婚までこぎつけそうになっていた女性がいるんだそうですね」

屈辱を嚙みしめながらゆっくりと出口に向かって歩き出すと、ふいに背後から声がかかった。その瞬間、ドアノブに伸ばそうとしていた小田垣の手がぴくりと止まった。

「噂で聞きましたよ。浮いた噂のない人だと思ってたけど、そういう経歴もおありなんだ——おあいこでしょう、僕があなたに多少の興味を持ったって」

ゆっくりと振り返ると、渋沢も身体を捻《ひね》ってこちらを見ている。

「どうして、結婚なさらなかったんです」

「——あなたに、お話しする理由はない」

小田垣は、そのままドアを開けて廊下に出た。その時になって初めて、小田垣は背後から忍び寄る恐怖に近い感覚を味わった。ただの監察医であるという以上に、渋沢が気味の悪い男に思われた。

31

二月九日　午後八時

店に着くなりママに呼ばれ、簡単に化粧をなおしただけで客について、摩衣子はこの時間になってようやく一息ついた気分だった。

もちろん、客の隣にいてもすぐにリラックスできる女の子もいるのだから、一息もふた息もあったものではないのだが、摩衣子の場合は客にもかなり好き嫌いがある方だったから、一日の最初についた客が嫌いなタイプだと、その後、自分の中のペースを盛り上げるのが難しくなってしまう。

「ママだって、分かってるじゃないですか」

客が帰ったあと、膨れ面でママに口説《くど》くと、ママはやり手らしい笑いを目尻だけに浮かべて「あらあら、まあまあ」と言った。

「摩衣ちゃん、あのお客さんが嫌いなんだった？」

「そうよ、この前来た時にも、勘弁してくださいって、ママに頼んだじゃないですか」

ママは頭のてっぺんから出るような声で「ほほほ」と笑うと、摩衣子に軽く抱きつく真似をする。

「贅沢《ぜいたく》は言えないでしょう、ね？　摩衣ちゃんが、ああやってちょっと笑ってあげればさ、あちらはもう、それだけで満足なのよ。別に、特に嫌らしい真似をするわけでもないんだし」

「あの目が嫌なんですってば。ねちっこくて、気持ちが悪いんだもの」

「何を小娘みたいなことを言ってるのよ。別に目で犯されるわけでもないんだから、そんなことでぶつぶつ言わないの。さあ、そんな顔されたら、不景気に見えてしょうがないわ。お化粧でもなおして、もっと明るい顔をしてちょうだいよ」

ママは、さっきまでの甲高い笑い声を引っ込めると、今度は打って変わって陰険な表情になり、計算高そうな目つきで摩衣子を眺め回す。

「言いたかないけどさ、摩衣ちゃんが、どういう目的でこの店に来たのか、私だって感じてないわけじゃないんだからね」

「どういう意味ですか、それ？」

ママは鼻の脇に小じわを寄せると、腕組みをして摩衣子をまじまじと見た。

「だからさ、普通に働いてくれるんなら、私だって何も言わないわよ、ね？　だから、文句言わないの。第一、小田垣さんのお気に入りっていったって、ほかのお客さんのことを軽くあしらっていいってもんじゃないんだから。同じお金を払ってくださるお客様なんだから。それにね、小田垣さんがっていう意味じゃないけどもさ、滅多に来ない人よりも、三日に上げずに来てくれる人の方が大切なのよ。そのくらい、分かってんでしょう？」

摩衣子は腹の底からこみ上げてくる不快感を必死でこらえながら、ただ黙って上目遣いにママを見ていた。

もともと、それほど文句を言うつもりもありはしなかった。何となくママがわざと摩衣子が嫌っている客につけようとしている気がしていた矢先に、そういう時に黙っていると、どんどんと人の弱みにつけ込むのがママの性格だから、言いたいことがあったら言った方が良いと教えてくれたのは、バーテンダーの木下だった。

「もう。何でああいう言い方するのかしら、私の目的って、あれ、どういうこと？　自分だって嫌だから、私にばっかりつかせるのよ。見てごらんなさいよ、清水さんのことはママも嫌いじゃないから、平気な顔して『ちょっと休んだら』なんて言うんだわ」

ママがほかの客と騒ぎ出すと、摩衣子はカウンターの端に腰掛けて、木下に水割りを作ってもらった。

「最近、強くなったんじゃないの？」

「そう？」

木下は摩衣子の文句は聞き流しただけで、にやりと笑いながらグラスを差し出す。摩衣子は小さなポーチから煙草を取り出し、唇に挟んだままで木下に顎を突き出した。木下は素早い動きで胸のポケットからライターを出すと、摩衣子の煙草に火を点《とも》す。

「初めの頃は、ウーロン茶ばっかりだったじゃないか」

「お腹ばっかり膨れちゃって、つまらないんだもの。こういう仕事してるんなら、飲まなきゃ損っていうことよ」

摩衣子は赤い唇をすぼめ、ダウン・ライトに向かって煙を吐き出しながら、木下の粘りつくような視線を受け止めた。本当のことを言えば、さっきの客よりも誰よりも近づきたくないと思うのが、この木下だ。だが、このカウンターにいる以外に逃げ場所などあるはずもない。

「なあ、一度くらいつき合ってくれてもいいんじゃないの？　この前の話だってさ、そのまんまになってんだぜ」

木下はママの目を盗んでは、摩衣子に外で逢いたいと言った。

「ママに聞かれるわよ」

「あれだけ盛り上がってるんだから、聞こえやしないって。なあ、そうつれなくするなよ」

摩衣子が何度逃げても、木下はしつこく摩衣子を誘う。摩衣子が小田垣に気に入られていることを知っているから、それ以上はしつこい態度に出なかったが、それでも摩衣子には煩わしいことは確かだった。

「きのちゃん、ちょっと悪いんだけどさ」

やがて、少しするとママが小走りにやってきて、木下に煙草を買いに行かせた。ママは、カウンターから離れる時に、ぽん、と摩衣子の肩を叩いていく。少しでも刺《とげ》のある言葉を吐いたり、険悪な雰囲気になった後は、ママは必ず軽く抱きしめる真似をしたり、肩を叩いたりしていった。それさえ怠らなければ、ホステスは自分の思いどおりに動くとでも思っているような仕草だった。

馬鹿にしてもらっては困る。誰が、そういつまでもあんなにえげつない、計算高い女の言いなりになっているものかと、心の中でママを罵倒し、灰皿に煙草を押しつけながら、摩衣子は最後の煙と一緒に深々とため息をついた。

——彼は、こんな女を受け入れてくれるだろうか。

はすっぱな言葉を使い、ママやほかの女の子と嫌みの応酬を繰り返し、酔った客の下品な冗談に手を叩いて笑う日々。木下のきわどい誘い文句をものともせず、それ以上の言葉で答える日々。日増しにそんな生活に慣れていくのが分かる。そんな自分を、彼は果たして受け入れてくれるだろうか。

ママたちの笑い声がかき消してしまってはいるが、それでも耳を澄ませば、いつものようにジャズが聞こえる。『奇妙な果実』の歌詞の意味を、摩衣子はこの店に来てから初めて知った。

――でも、やめるわけにはいかない。今はまだ。

もうすぐ、摩衣子の運命は動き始める。その時が近づいていることは、タロット・カードなどに頼らなくても自分で分かるのだ。摩衣子からではなく、向こうから、運命の歯車は少しずつ動き始めて摩衣子を呑み込もうとするだろう。その時まで、摩衣子はひたすら待つしかないのだ。

摩衣子にできることは、その日のために、自分の心の声を何度となく聞きなおし、ひたすら思いを遂げることだけを祈り、そのうえで可能な限りのすべての方法を考えることだった。

――彼に受け入れてもらえるように。彼が、すべての誤解と偏見を捨てて、こちらに向かって両手を広げてくれるように。けれど、彼が、果たしてそんなふうに自分を受け入れてくれるものかどうか、自信が持てない。どうしても、怖いと思ってしまう。

虫の良いことは考えないに限る。それは分かっていた。彼には何も望まないことにしようと、幾度となく自分に言い聞かせてきた。それなのに、少しでも考える暇ができれば、すぐに彼のことを考えてしまう。甘い夢を見たいと思う。

――もう、彼にふさわしい女にはなれないのかもしれない。

何度となく考えたことが浮かんできて、胸の奥がちりちりと焦げるように痛む。

――逢いたい。

水割りを飲み干したところで、木下が寒そうに肩をすくめたままで戻ってきた。摩衣子は潤みそうになっていた瞳を急いで天井に向けた。苦い涙が鼻の奥を伝って降りた。

「今夜も冷えるぜ」

木下は摩衣子のグラスが空になっているのを見ると、ボトルを近づけて注いでくれる。

「こんな晩は、独り寝には辛いよな」

「本当。暖めてくれる人がいたらねえ」

摩衣子の言葉に、木下の瞳が輝きを増す。その粘りけを帯びた視線を受け止めながら、摩衣子はグラスを勢いよく傾けた。

「でも、きのちゃんじゃ駄目ね。どっかの、誰かさんに妬《や》かれちゃうもんね」

「知らないな、どこの、誰だよ」

「あら、去年のクリスマスに待ち合わせしてたでしょう？　どこのホテルをリザーブしてたの？」

摩衣子が片方の頬だけで笑いながら言うと、木下の表情が一瞬だけこわばった。それから、急に険悪な表情になると「嫌な女だな」と呟いた。

「あんた、気持ちの悪いところがあるぜ。なんだか知らないけど、妙に人の周りを嗅ぎ回ってるようなところがさ。ママの台詞じゃないけどさ、何か目的でもあるんじゃないのか？」

摩衣子はその言葉を聞いて思わず大きな声を出して笑った。

「馬鹿馬鹿しい。ママはね、小田垣さんとのことが面白くないのよ。まあ、私に言わせれば、きっと、そういうところが小田垣さんに気に入られたのかもしれないわね、でもさ、すねに傷のある奴は、そういうのが一番苦手よね」

木下の表情がますますこわばる。だが摩衣子は笑い続けた。笑いながら、気持ちがどんどんと沈んでいくのを止めることができなかった。

まさか、木下のような男に「女」呼ばわりされることがあろうとは、自分でも考えていなかった。そんなつまらないことさえ、心の底に重く沈んでいきそうになる。鼻の奥には、伝って降りた涙の苦みが残っていた。女が変わるのに時間は関係ないと、ふと思った。

32

私は、三度目にあの娘を殺した。

殺人を目的とした殺人。その究極の快感を得るために、私は周到な計画を立てた。何よりも楽しいのは、計画を立てる時、そしてすべてが予定どおりに運んで、完璧に遂行された後で、改めてその時の快感を嚙みしめる時だ。

その娘は、私が足しげく通っていた片田舎の園芸業者の次女だった。短大を卒業したばかりだという娘は、私が彼女の父親から蘭の手入れの方法を教わっている間に、茶を入れたり私の手からコートを受け取ったり、何かと理由をつけて私の近くにまとわりついてきた。

長い髪を背中にたらし、左右には細い三つ編みを作って、淡い色のトレーナーなどを着ている娘は、どこから見ても田舎臭く、頰の辺りにはまだ幼さがはっきりと残っていて、とても短大を卒業しているとは思えないほどに幼く見えた。いつもちょこまかとして落ち着きがなく、やたらと舌足らずの話し方をするその娘さえいなければ、私はあれだけ立派な出来映えの花々が並ぶあの温室を炎に包ませるような真似はしなかった。それだけが、やはり多少は心残りだ。

その娘はいつも石鹸《せっけん》の匂いをさせていた。白いふっくらとした手の甲には小さなえくぼが並び、彼女は笑う時に必ずその手を口元に持っていった。元来笑われることが好きではない私の前で、私は理由も分からないままにその娘の笑い声を聞くことが多かった。

「何がそんなにおかしいの」

私はもう二十七歳になっていた。

私が聞くと、ただそれだけで娘は喉の奥を鳴らして笑った。

「だって、面白いんですもの」

娘は決まってそう答え、私が内心で苛立っていることも気づかずに、ただ笑い続けた。

彼女の父親でもあり、その地方では有数の園芸業を営んでいる社長は、娘の笑い声が響くだけで嬉しそうな顔をした。地方業者の間でも人望が厚く、人格者とうたわれていた社長は、新しい知識を惜しげもなく披露し、よその土地から来た私を常に歓待してくれた。

「普段堅いお仕事をなさっていても、こういう花を見れば、心がね、やっぱり、潤いますよね」

社長は、そう言って笑顔を絶やさなかった。

合計すれば千坪以上にも及ぶ広い敷地に何棟もの温室を持っていたその社長は、温室の大半をコチョウランの栽培に使っていたが、そのうちの一つだけを他の蘭の栽培にも使っていた。それは商売を離れての、半ば自分の楽しみのための温室でもあるのだと社長は笑った。

「お父さんは、小田垣さんに花の話を聞いていただくのが、本当に嬉しくてしょうがないみたい」

娘は絶えず私の近くを歩いていて、父親がいない時を見計らっては、私にそんなことを言った。最初の頃こそ、多少は緊張した面もちでいたくせに、こちらが少しでも慣れた言葉を使うと、途端に甘えてくるのが女のやり口だと私は知っていた。

私がほんの少しでも彼女の方を見ただけで、丸い頬を赤らめて、ジーンズにトレーナーを着て小走りに逃げる娘は、私に憎悪を抱かせるに十分なほどに純粋に見えた。

やがて、社長は私に向かって娘をどう思うかと聞いてきた。

「あいつは、どうもあなたに夢中のようです」

社長は困った笑いを浮かべて呟いた。

私は誓って言うが、その娘に好意を抱かれるような真似をした覚えは一度としてありはしない。それは、学生の時の、あの女の時も同じだった。

私に関心を示さず、放っておいてさえくれれば、私は誰に対しても危険のない人間だ。むしろ有能で、誰の役にも立ちうるだけの立場におり、そんな自分の立場を最大限に理解し、自覚している人間だ。

ましてや、私は自分個人の内面をさらすような不用意な真似をした覚えはないし、二十歳そこそこの娘が興味を抱くような言動など、まったくとらなかったはずだ。

それなのに、娘は私に興味を抱き、会えば頰を赤らめ、理由もなく膨れ面を作って見せたり、無意味なことで瞳を潤ませたり、鼓膜に響く声で笑ったりした。彼女はまるで仔犬と同じだった。

「私、思うんです。いつも難しい顔をしているけれど、そういう人に限って、一度心を開いたら、溢れる泉みたいにみずみずしい感情をほとばしらせるんじゃないかなって」

娘はそう言ってくすくすと笑った。

「そんな顔をしたって、私は、ちっとも怖くなんかないわ。第一、父と花を見ているときのとろけそうな顔ってばないもの。あれが本当の顔なんだって、私、分かったの」

「私は、そんな顔をしていますか」

見当違いも甚《はなは》だしいとはいえ、好き勝手に人の心に入り込もうとする娘を、ただの子どもではなくはっきりと「雌ブタ」として感じていた。私が他人から、ましてや女から笑われることがこのうえなく嫌いだということにも気づかない娘を、心の底から消し去りたいと思った。

女は皆、本能の命ずるままに男に擦り寄ってこようとする。そして、男に虐《いじ》められることを望み、やがて腹を膨らませて、能なしの子どもを増やしていくのだ。

私は、その時すでに頭の中で一つの計画を練り始めていた。もう止めようと思っていたのに、炸裂《さくれつ》する白い光の誘惑が私を奮いたたせようとしていた。

社長は、蘭の好きな真面目な青年を大層気に入った様子で、それまで以上に私に親切になった。私は何も答えてはいなかったのに、自然に周囲の雰囲気が甘ったるい、粘りけのあるものに変わっていった。

自分の立場を考えれば、それは危険なことにちがいなかった。だが、それだけに私はかつてないほどにその計画を熱心に推敲《すいこう》し、与えられる興奮を思って全身に鳥肌が立つほどだった。

いつしか、仕事が終わってから逢いたいと、娘は言うようにまでなっていた。

「ほかの場所で逢ったことなんて、ほとんどないんですもの。普通のカップルみたいにね、お食事をして、映画とか観て、そういうの、やってみたいのにな」

わざと上目遣いにこちらを見る仕草は、幼さの残る野暮ったい娘には実に不似合いなものだった。だが、娘はそれでも一生懸命になって自分がいかに優れた雌ブタであるかを強調するように、淡い色の口紅さえつけるようになっていった。

「来週あたり、そういう日を作ろう」

私が言った時の娘の嬉しそうな顔といったらなかった。彼女は小躍りせんばかりに飛び上がり、黒く長い髪を宙に踊らせた。

「待ってたの、そう言ってくれるの、ずうっと待ってたんだから」

「それはそれは、待たせたね」

その時、実は私はすでに異動の辞令を受け取っていた。その辞令が下るのを私は待っていたのだ。そして、それこそが計画のスタートを告げるものだった。

33

十六になった時、私は母に逢った。

家にいた家政婦から母の話を聞いた時には、ほんの少しだけ、不思議な甘酸っぱさを味わいはしたが、そんな思いは一週間とは続かなかった。やがて、だいぶ時間がたってから、家政婦だった老女が家族の誰にも内緒で私に連絡をよこしたころには、すでに私の中ではそれまでに感じたことのない欲望が高まりつつあった。

私が十六になった時、その家政婦が死んだことを知らされた。その時を待っていた私は、ようやく誰にも内緒で母に連絡を取った。

最初、電話を受け取った母は「家政婦から話は聞いている」と言い、しごく冷静に家政婦が死んだことも知っているとつけ加えた。私は、自分一人の意志で、誰にも内緒で電話をしているのだと言った。

「そう」

母は、ただそう言っただけだった。私は、その感情のこもらない声を聞いた時に、彼女が自分の母であることを奇妙に確信した。

「会いたい」と言った私に対して、母が指定してきたのは、今は空き部屋になっているという、母の実家の持ち物らしいマンションの一室だった。

「――大きくなったのねえ」

がらんとしたマンションに母はいた。

私の中に残っていた、柔らかい陽射しを浴びて植木鉢を落とした女は、十数年の時を経て、髪型も雰囲気もすっかり違っていた。

「どうしたの、今ごろになって急に」

母は、私を見据えると口だけを動かして言った。

私は、白状するが、恥ずかしいことに、母に逢ったほんの一瞬の間だけ、自分の中に再び甘酸っぱい思いがこみ上げてくるのを待った。だが、そんな思いはもはや無縁のものになっていたらしい。心配するまでもなく、私の心には小波《さざなみ》一つ起こりはしなかった。

私は母と同じように、しごく淡々とした口調で、母の顔を見て答えた。

「別に。僕を産んだ人を見てみたいと思っただけです」

私はすでに母よりもずっと背が高くなっていた。義母に比べれば、ずいぶん若々しく見える母は、香水の匂いを振りまきながら「なるほどね」と言って薄く笑った。

「それで、いかがかしら？」

母はくるりと回って見せると、中年の女の自信に満ちた表情を再び私の正面で止める。私はその時になってようやく思い出したように、用意してきたブーケを紙の手下げ袋から取り出した。

「あら」

母は、ブーケを見ると初めて表情を動かし、差し出した私に向かって夢遊病者のように歩み寄った。

「これ、お宅の？」

「ええ。あなたが大切にしていたのを株わけしたりして、今もあるんです」

母は、そっと手を伸ばすと私の手からブーケを受け取った。それは、母が私の母であったころに、もしかしたら私に対する以上に手間暇をかけて世話をしていた白い蘭の花だった。

母は少しの間しみじみとした表情になり、それからふっと笑った。

「蘭なんて、大嫌い」

そう言って声高に笑う母を、私は黙って見つめていた。

「思い出したくないことまで思い出さなきゃならない花じゃない？　あの家、あの空気、あなたの父親の怒鳴る声。あそこから、私の人生はすっかりつまらないものになったんだわ。あそこが、つまずきの最初なのよ」

母はそう言うと、すたすたと歩いて流し台の上に蘭の花をぽん、と置いた。私は一カ所に立ったまま、黙って母のすることを見ていた。

「僕のことで、何か覚えていることがありますか」

「あなたは、ねえ」

母は流しの前で私を振り返ると、そのまま流しに寄りかかって腕組みをした。片方の足に体重をかけ、もう片方の足を心持ち曲げて立っている母は、遠くから私を値踏みでもしているかのようだった。

「弱い子だったわ。お腹もこわすし、熱も出すし、泣いてばかりで手がかかったの」

幼い私が泣いている様は、私には想像がつかなかった。けれど、一人ぼっちにされて、一人で泣いていなければならない小さな赤ん坊の姿が脳裏に浮かんだ。

「私がどこへ行くんでも、何をするのでも、あなたはうるさいくらいにまとわりついてきたものよ」

母はそこまで言ったところで、慌てて首を左右に振った。

「やめましょう。結局は嫌な思い出につながることだけなんだもの。忘れたわ、もう」

私は、ほんの二、三歩だけ母に近づいた。

「悪いけど、生き別れになる親子なんて珍しくはないのよ。いちいち感傷的になるのは、やめにしない？　私の人生は、今のあなたとはまるっきり関係のないものよ。あなたには分からない人生があるんだから、ね？」

母は急に早口になってまくしたて始めた。

「私はね、あなたの父親と、今は後妻に入ってるあの女のために、あの家を出されたの。その時の私がどんな気持ちだったか、あなたには分からないと思うわ。あなたは女じゃないんだし、あの女を『おかあさん』と呼んで、私は死んだって聞かされてたんだそうじゃない？」

「――ええ」

母はそこでまた甲高く笑った。

「死んだどころか、あれから私は実家に戻って、今度は違う家に嫁いだの。でも、今度はその家の姑《しゅうとめ》と折り合いが悪くて、五年で出てきた。それ以来、家《うち》の不動産を管理しながら、結婚なんて馬鹿げた夢は抱かずに、まあ適当に楽しみながら暮らしてきたっていうわけよ」

「――」

「でもね、今日、あなたと逢うつもりになったのは、今度また私が結婚するからなの」

母はそこで表情を輝かせ、それから微かに眉をひそめた。眉間に醜い縦皺が二本くっきりと入った。

「相手は私に子どもがいるなんて知らないのよ。だから、私が結婚した後で訪ねてこられても困ると思ったの。だって、考えてみれば私があなたを産んだのは、まだ十九の時だったのよ、二十歳そこそこで、あんなにひどいめに遭わされて――」

少しずつ歩み寄っていた私は、母の言葉をそこまで聞いた。私の手は、私が心配していたよりもずっと素早く的確に動いた。紙袋から、蘭のブーケとともに持って来た軍手を取り出し素早くはめるのを、母はぽかんと眺めていた。

「――、――！」

そして次の瞬間には白く細い母の首が私の手の中で絞《し》め上げられていた。

みるみる顔が赤くなり、恐怖と驚きで大きく見開かれていた母の目が瞬く間に充血していく。

「覚えているんだ。あなたは、あの時、僕のせいにしたよね。自分で植木鉢を投げつけておいて、僕のせいにしたんだ。何も知らなくて、ただあなたを見ていただけの僕のせいに」

私は、私の手首をつかむ母の手を見ていた。淡いピンクのマニキュアを塗って、きれいな指輪を光らせた母の手は、自分の首から息子の手をはぎ取ろうと必死でもがいていた。

私の頭の中に、徐々に光源に近い激しい白い色が広がっていった。それは、母に贈った蘭の色、母が着ていたエプロンの色、母がこれから袖を通そうとする花嫁衣装の色かもしれない。私は、その白い光の中に飛び込みたいと思った。

「雌ブタめ、雌ブタめ！」

私は奥歯を嚙みしめたまま、うなるように同じ言葉を繰り返し、夢中になって母の首を絞め続けた。やがて母はがっくりと力尽き、もがいていた手はだらりと垂れ下がった。そして、私に体重を預けるようにもたれかかってきたが、それでも私は首を絞め続けた。

無限に広がる白い光の世界に私は飛び込んでいた。

全身を快感が貫き、重力さえ感じずに、地底深く落下して行くような気分と、天をついて舞い上がるような感覚が交互に訪れた。そして、気がついたときには母は完全に息絶えていた。

——女なんて、みんなおんなじだ。

私は、足元に崩れ落ちた母を見おろしながら感じていた。女は虐められて喜ぶ生き物なのだ。そして、醜く腹を膨らまし、あの蠅と同じように胎内にウジを蓄える。

私は母のために用意した純白の蘭の花を流し台から取り上げると、舌を押し出すように、ぽかんと開かれたままの母の口に差し込んだ。まるで、口からウジがわいて出ているような、奇妙な風景が出来上がった。

新聞では「猟奇的な殺人」と見出しをつけて、母の死を報道していた。しかし、私の家には警察の誰も訪れることなく、私はいつもの生活に戻った。

私は両親の様子を注意深く見守っていたが、彼らは子どもたちの前ではまったくいつもと変わったそぶりを見せなかった。もちろん、人気《ひとけ》のないマンションの空き部屋で殺されたのが、かつての妻、かつて自分が追い落とした女であることくらいは知っていただろうが、彼らはそ知らぬ顔を通し続けた。

一度だけ、一人でぼんやりしている父に「どうしたの」と聞いたことがある。陽の当たる縁側で、籐の長椅子に腰掛けていた父は、珍しく表情を動かしたが、それでも「何がだ」と逆に聞き返してくるほどだった。

「ぼんやりして、何か考えごとですか」

「年齢の分、思い出も増えるものだ。その分、ぼんやりすることも多くなる」

父はそんなことを言ったように思う。すでに思い出の中に生きる時間が増え始めているのかと思った時、私はあの恐ろしかった父が、確実に老い始めているのだと思った。

あの場所を選んだのは母だった。私に逢っているところを誰にも見られたくないと配慮したのは、母だった。それが私にとってはこのうえない好運だった。

新聞によれば、事件は金銭の貸借関係にまつわるトラブルとも、交遊関係のトラブルとも、または行きずりの犯行とも取れると書かれていた。怨恨による犯行と取れないことはないが、被害者は結婚を控えて幸福の絶頂にあり、もともと近所の評判も良く、人に恨まれるような人間ではなかったと、周囲の誰もが首を傾げた。人気《ひとけ》のないマンションに倒れていたということしか、新聞には書かれていなかったが、私は他の事実も知っていた。

そう、被害者の口に差し込まれていた白い蘭の花は、わが家の温室で開いたものであること、そして花から飛び散ったかのように、遺体の傍には男性の体液があったはずだ。あの時私は堪《こら》えきれなくなって、母の遺体を見ながら射精した。母などと思う気持ちは心の片隅にも浮かんでは来なかった。そこに目を剝《む》いて横たわっていたのは、三度目の結婚を控えた雌ブタにすぎなかったのだ。

警察の捜査はすぐに行き詰まり、やがて事件は報道すらされなくなった。

幼いころの病弱が嘘のように健康になっていた私は、その後も高校生活を満喫し、部活の水泳でも記録を作り、成績も常にトップを維持していた。そのころになって、私は父の事業を継ぐ意志を失い始めていた。私には私自身の目的が生まれ始めていたのだ。

34

やがて私は周囲の期待どおり、国立大学の法学部に合格した。その頃には、義母でさえも私にある意味での尊敬の眼差しを向けるようになっていた。

何しろ私は年ごとに弱気になっていく父を後目《しりめ》に、義弟妹に尊敬されうるだけの存在になっていたから、仕事以外での事細かな相談事は、すべて父ではなく私に向けられるまでになっていたのだ。

「お父様は、お仕事のことばかりだものね」

ついに義母がそんな愚痴をこぼすに至って、私は義母が完全に私に屈したことを確信した。私はつねに冷静沈着で理性的であり、潔癖なまでの正義感の持ち主と評されていた。私の家庭の事情を知っている父の知人などは、私が「ひねくれもせず、まっすぐに立派に」育ったことを賞賛した。周囲はまだ私が父の事業を継ぐと信じていた。または弁護士になって、父の事業をバックアップするとでも。

「戻ってくるのを待っているよ」

あの父でさえ、私が上京する日には、そう言った。私は父に頼んで温室から二つ、三つの蘭の鉢をもらい受け、東京のアパートで栽培すると言った。父は誇らしげに頷きながら、私の申し出を父の後を継ごうとする者の意思表示とでも受け取ったらしかった。

私は上京して生まれて初めて、快適な日々を送るようになった。人に干渉されず、すべてを自分の裁量で取り仕切る日々は、このうえもなく充実していた。私は不要な人間関係を作らず、かといって、決して誰とも疎遠にならないように距離を保ちながら、落ち着いた日々を過ごした。どんな相手とも心の底から打ち解けることはなかったが、それは私が望んだことだった。

「物腰は柔らかいが、決して羽目をはずさない、素晴らしく切れる奴」

学校の友人は私をそんなふうに評した。私はいかなる感情にも流されることなく、酒の席でもすべて計画的に行動した。私に近づこうとする人間は男女を問わず多かったが、自分に有益な男の友達のみを残して、あとはすべてを断ち切った。

私は無視という真似はしたことがなかった。ただ相手にならないだけのことだ。それを続けていれば、やがて相手の方から諦めて去っていく。それなのに、私がいくら自分のペースを崩さず、相手にならなくても、根気よく私について回る女子学生がいた。

「あなたって、何かに耐えているように見えるわ」

　ある日、彼女は自分のアパートに戻ろうとしている私に走って追いついてくると、私の腕を取って無理に喫茶店に誘った。私の目から見れば、彼女はうるさく、おせっかいで、甘ったるく見える、実に普通の、少し生意気で多少利発な、身のほど知らずの娘だった。

「そんなに肩肘《かたひじ》張って生きてたら、途中で息切れしちゃうんじゃない？」

　わざとらしく、私に向かって覚えたばかりの煙草の煙を吹きかけながら、彼女は細い指に煙草を挟んだ手で頬杖《ほおづえ》をついて私を見た。

「ご心配なく、そう簡単に息切れなんかしないさ。マラソンは得意だからね」

　私が答えると、彼女は煙と一緒にかすれた笑い声を洩らし、眉を上下に動かした。

「今からそんなふうに考えちゃってるわけ？　人生はマラソンだ、艱難辛苦《かんなんしんく》を乗り越えて、ひたすら走り続けるのが人生だって？　それ、ちょっと悲観的すぎるんじゃないかなぁ」

　弁護士を目指しているという彼女は、私の言葉をすべて逆手に取り、言いたいことをまくしたてるのが好きらしかった。マラソン云々というのは、もののたとえ、ただの冗談なのに。

「私たち、いくつだと思ってるの？　今が一番素敵な時なのよ。恋をして、そりゃあ傷つくこともあるだろうけど、でも胸をときめかして、人の心にたくさん触れて、たくさん笑って、楽しんで」

「君は、それでいいだろう。僕には僕の考え方があるんだから――」

「あなたも。あなたも、そうするべきだわ。今から人生をマラソンなんかにたとえるなんて、悲しすぎる。人生は、もっと輝いていていいはずよ。輝いて、弾けて、ね？」

彼女の瞳は熱っぽく輝いていた。私は黙って彼女の話を聞いていた。彼女は、私が自分の意見に心を動かされ、返事も出来ずに言い負かされているのだと解釈したらしかった。私は人と争うのが好きではなかっただけのことだ。それ以上に、私は自分の言葉を遮られるのが何よりも嫌いだった。この女のように。

「ねえ、私たち、気が合うと思うわ」

「そうかな」

「受け合う。あなたは私にぴったりの人だもの」

私はその時に決心した。あの時の快感を再び呼び起こしたいと。

彼女の死体は、夜中にボストン・バッグに入れて運び出し、奥多摩の林道の奥に埋めた。闇の中、大きな岩石の下に向かって穴を掘っている間でさえ、私は彼女の首を絞めた時の快感を思い出していた。私は、すでに三回射精していた。

彼女を殺そうと決心した時から、私は以前、母の首を絞めたときの快感を幾度となく思い出し、そのたびに射精した。そして、それは彼女の鼓動が止まったときにピークに達したのだ。すべてがハレーションを起こしたように白く弾け飛び、私は一瞬時空さえ飛び越えて、母を殺した時に逆戻りする錯覚を覚えた。

事件が事件として発覚するのは、そこに被害者が存在するからだ。

私は「こざかしい」アリバイを作って自分をかばいだてするような愚かな真似はせず、事件が発覚しないことを目的とした。そして、あらかじめ幾度となく下見を重ねておいた奥多摩の山中に、昼間のうちに穴を掘っておいた。一度掘り返した土を柔らかく埋めておいただけの穴は気持ち良いほど簡単に掘ることができた。そして、まだ自分が死んだことすら気づいていなかったに違いない彼女は、二度と呼吸に苦しむこともなく、静かに土に戻った。

下宿から忽然《こつぜん》と消えてしまった女子大生の話は、ちょっとした話題にはなったが、やがて当時流行していた「蒸発」なのではないかという噂が流れた。それまで聞いたこともなかった彼女に関する噂がまことしやかにささやかれ、キャンパスは多少の緊張に包まれた。田舎から出てきた彼女の家族も、結局は何の手がかりも摑めずに肩を落として帰っていったという話だった。友人の一人として、私も彼女の行方について他の友人と論じあうことがあったが、誰も私と彼女のことは知らなかった。常に男の学生に囲まれているることを好んだ彼女は、私という特定の相手ができたことで、ちやほやされなくなることを望まなかったのだ。彼女は「卒業までは、内緒にしておきましょうよ」と悪戯っぽい表情で言っていた。私は、彼女が望むとおりにしただけのことだった。

やがて二カ月も過ぎたころには、彼女の噂は人々の口に上らなくなり、誰もが彼女を忘れていった。私も時折、彼女のことを思い返そうとしたが、蘇るのは白く炸裂した世界と蘭の花、そして母の顔の方ばかりだった。彼女の顔は、はっきりと思い浮かべることさえできなかった。

その後も私は順調に学生生活を続け、そして、三年の終わりには警察庁への道を進むことを家族に宣言した。父も義母も、口にこそ出さなかったけれど、心の底では、あまり才覚もないし有能でもないが、それでも一番可愛がってきた義弟の方に後を継がせたいと考えていたから、私の宣言に動揺はしたものの、大した反対はしなかった。それに、家族の誰かが警察に関わっているということは、決して不利なことではないと判断したのだろう。

「おまえの考え方を誇りに思うよ」

白髪の目だち始めた父は、ゆっくりと頷きながらそんなことすら言ったものだ。

私としては、まずは、組織の懐深くに入り込むこと、私の犯罪にさえ気づかなかった組織を、自分の意志で動かす立場に立つこと、実際の捜査の現場を知り、私以上に優れた犯罪者の輩出を防ぐことに、限りない魅力を感じたまでのことだ。

もしかしたら、私はあの女から生まれたのではないのかもしれないと考えることがある。この自分が他のくだらない人間どもと同じように、女の膨らんだ腹から出てきたというのは、私にはどうにも納得のいかないことだ。

だが、私は精神異常者のように自分を神にたとえるつもりはない。私は、確かに選ばれた人間ではあるけれど。

35

二月二十一日　午前一時半

風呂上がりの髪はまだ湿っている。夏季はガウンの肩に大きなタオルを羽織ったまま、しばらくの間ぼんやりと鏡をのぞき込んでいた。

毎日見ている自分の顔だから、急に変わったとは思わないのだが、それでも確かに昔の写真と見比べてみれば、だいぶ変わったと言わないわけにいかない。

丸かった頬はすっかり肉が落ちて、今はずいぶん顎が尖って見えるし、そのおかげで目も口も大きくなったように見える。よく見れば目尻の辺りには小皺も出てきたし、以前は丸くて低いのが悩みの種だった鼻でさえ、多少鼻筋が通って見える。第一、腰に届くかと思うくらい長く伸ばしていた髪は、とうに短く切ってしまって、今は肩に届くか届かないかという長さだった。髪を切って、急に頭が軽くなったように感じられた時、夏季は初めて髪の毛にも重さがあるものかと思ったものだった。

こうしていると、自分の顔のうえにも、確実に時が流れたと感じないわけにいかない。まだ三十にも手が届かないのに、それでも白いのが自慢だったつやつやの肌は、もうどこにもない。鏡の向こうからこちらを見ているのは、目の下にうっすらと隈《くま》さえ作って、くすんだ顔のところどころに吹き出物ができかかっている、疲れた顔の女だった。

——ひどいものだわ。

夏季は化粧水をつけた後の顔を見つめ、片手でそっと頬をさすった。手の平に感じる頬の感触からすると、また少し痩せたかもしれない。

——でも、その方がいいんだろうけど。

ドレッサーの上には化粧品に混ざってビタミンなどの錠剤が並んでいる。短い間に転居と転職を重ね、こうして部屋にいる時でさえ、心の底からリラックスできているわけではない。いつ扉をノックする音に全身をこわばらせることになるか、と怯え、どこから誰に見られているか分からないと神経ばかり張りつめているから、実際に効いているのかどうかは分からないけれど、ビタミン剤にでも頼らないわけにはいかない状態だったのだ。

少しでも気を抜くと、すぐに入り込んでくる思いがある。思い詰めると、今すぐにでもアパートから走り出て、闇を突っ切り、時間すらも遡《さかのぼ》りたい気持ちになることが分かっている。五年前、七年前、十年前へ、いや、せめて半年、三カ月前にでも。

夏季はそこまで考えて、慌てて気分を入れ換えることにした。眠りにつくまでの少しの間でも、考えなければならないことは山ほどあるのだ。まず、目の前の問題を解決することが先決だ。いつまた、前の花屋の店長のように、夏季のアパートを嗅ぎつけてくる相手がいないとも限らない。時間は、そう残されてはいないはずだった。

「今夜あたり、かかってくるんじゃないかと思ってたんだよ」

その晩も、山崎は相変わらずの柔らかい声で、見知らぬ夏季からの電話を歓迎してくれた。夏季は努めて柔らかい、穏やかな話し方で、当たり障りのない世間話をした。山崎は聞き上手で、夏季が少しでも話題に詰まると、すぐに自分から次の話題を提供してきた。夏季は、まだ会ったことのない青年が、今ふうの髪型で、スマートで、人当たりの柔らかい、さらりとした性格なのだろうと感じながら、季節の話や互いの故郷の話に興じた。

「ねえ、そろそろ会う気になってきた？」

やがて、山崎は、夏季が電話をかけるたびに言う台詞を口にした。

夏季はこれまで、その言葉を聞くたびに「そうねえ」とか「でもねえ」と言って、山崎をがっかりさせてきた。それでも彼が諦めないのが不思議な気がしたが、山崎はいつでも「本当に、おかしな意味じゃないよ。そりゃあさ、会ってからどうなるかは、お互いの気持ち次第だけど」などと言って、焦《じ》れている様子を見せなかった。

「会ってもいいけど——何だか、恥ずかしいと思わない？」

「こういうのって、時間がたつほど、恥ずかしくなるよ」

「——分かったわ」

「本当？　会う気になったんだね？」

他に方法はなかった。待ち合わせの約束をできる相手が、夏季にはほかにいなかった。

「あの——山崎さんは、花は好き？」

「花？　なんの？」

「何でもいいんだけど。嫌い？」

「あ、分かった。待ち合わせの時の目印か何かにしようとしてるんだろう」

弟のような印象の山崎は、言葉の端々に幼さを残し、夏季が会うことを承諾しただけで、もう声を弾ませている。

「実は私ね、お花屋さんで働いてるの」

「へえ、お花屋さん」

「あ、あの、お花を作っている会社なのよ。だから、町の普通のお花屋さんとは違うんだけど。お花とか、盆栽とか、小さな植木とかも扱ってる会社」

夏季は、このところようやく多少落ち着いて、仕事の内容にも慣れてきた今の会社のことを思った。人の好い職人気質の社長は夏季を重宝がってくれ、都会の人とは思えないくらいに純朴な雰囲気の従業員たちは、夏季が普通に湯を注いだだけの茶一杯にも感激した表情を見せた。夏季は、あの会社が好きだった。

「私、繁華街って苦手なの」

「あ、それは僕も。人混みが嫌なんだ」

「だから、もしも嫌じゃなかったら、私の仕事場に迎えにきてくれないかしら。山崎さん、車持ってるって言ってたでしょう?」

「ああ、持ってるよ」

「それから、ドライブでもしない? そうすれば、知らない場所できょろきょろしなくて済むし、私も覚悟が決まるわ」

電話の向こうで少しの間沈黙が流れた。夏季はいつになく心が波立っているのを感じた。

――お願い。他に方法はないのよ。

何度となく心の中でつぶやきながら、夏季は長すぎるとも思える沈黙が山崎の方から破られるのを待った。

「なんだか、照れるけど。いいよ、迎えに行ってあげる」

「そう?　いい?」

「でも、会社の人に何て言えばいいのさ」

「大丈夫よ。私は温室の管理を任されてるから、最後に見回りをして、皆の後で帰るの。だから、ほかに人は残っていないから」

「何だ、それなら余計いいや」

「温室で待ってるわ。あそこなら暖かいから」

「それで、花は好きかって聞いたんだね。何だかロマンチックだな」

山崎は快活な声で笑った。夏季は胸の高鳴りを感じながら、山崎に合わせて見えてもいないのに無理な笑顔を作っていた。

「それで、いつ?」

「山崎さんも仕事の都合があるだろうし、私も仕事のことを考えなきゃならないから、今すぐには決められないわ」

「何だ。僕の仕事なんか、どうにでもなるのに」

「だから、今度電話するまでに、決めておく、ね?」

夏季の言葉に山崎は素直に「うん」と返事をした。電話を切るころには、夏季は胸の高鳴りこそ多少はおさまっていたが、今度は逆に身体の奥底から震えが上がってきそうだった。心のどこかで、春までに、すべてを終わらせたいという気持ちがあった。

――今度はどんな春が来るのかしら。

何度も深呼吸をした後、ゆっくりとロフトに上がり、夏季はそこで改めて、もう三月に近いことを思い出した。空気はまだ凍るほどに冷たいし、時折は曇った空から白いものが舞い降りてくる季節だけれど、確かに月日は巡っている。

春は好きではない。

布団に入ってからも、夏季は天井を見つめ続けていた。

七年前の春の宵、夏季の家は炎に包まれた。

耳元で大きな音がして、はっと気がついた時には、辺り一面が炎に包まれており、夏季は地を這って逃げ出した。自分がどこにいるのか、何が起きたのか、まるで分からなかった。ただ呼吸が苦しく、頭が痛かった。

「夏季、夏季!」

遠くから父の怒鳴り声が聞こえ、夏季はその声のする方に必死で這っていった。

折りからの強風にあおられて、炎は瞬く間に広がり、温室にかけられているシートを一瞬のうちに溶かし、ガラスを割り、出荷を待っていた蘭を燃やし、鉢に詰めるための水苔《みずごけ》や段ボールなどを呑み込んでいった。

「どうして、どうして――」

遠くから無数のサイレンの音が聞こえていた。方々の家から人が飛び出し、呆然と燃え上がる炎を見上げていた。辺り一面に焦げ臭い風が舞い、火の粉が天を焦がした。

「お父さん！」

やっとの思いで家までたどりつくと、近所の人々と家に水をかけていた父が、赤と黒の世界の中でも蒼白になっていると分かる顔を向け、それから走り寄ってきた。母は、近所の奥さんに腕を掴まれ、身体をささえられて、言葉にならない言葉を叫んでいた。

「夏季！　無事だったか」

駆け寄ってきた父を見た途端、夏季は気を失った。自分の首に絞められた痕がついていたことは、翌々日に意識が戻るまで気がつかなかった。

今、夏季は天井を見上げながら、改めて自分の首筋を触っていた。最も恐ろしかった瞬間を記憶していないのは、夏季にとっては幸せなことだったにちがいない。けれど、その前後の出来事だけで、夏季は十分すぎるほどに恐怖を味わい、苦しみは今に続いている。

夏季が意識を取り戻した時、今度は母が意識を失っていた。もともと、血圧が高かった母は、火災のショックから脳溢血を起こしたのだった。すべての事情が呑み込めたのは、夏季が意識を取り戻し、それから父と順を追ってあれこれと話した後のことだった。

「――許さん。だが、証拠がない」

父は唇から血が出るほどにきつく噛みしめ、目に涙を浮かべていた。

「ごめんなさい、ごめんなさい」

夏季は泣きながら父に謝った。

「私を死んだことにして」

もしも、自分が一命を取りとめたと分かれば、小田垣は再び自分を殺しに来るにちがいない。それ以前に訴えて出れば済むことかもしれないが、はっきりとした証拠は何もないのだ。小田垣が夏季を殺そうとした、火を放ったなどと言い出しても、裏づけることができなければ、相手が警察の人間であるだけに、話は面倒になる。

しかも、夏季父子は知らなかったのだが、小田垣は夏季と逢った日付で、他の警察へ転任したことになっていた。彼は、すべてを計画的に行なった。ただ純粋に自分に思いを寄せているだけの夏季を葬るために、彼は完璧な計画を立てて、それを行動に移したのだった。

「あいつのことだ。当然、アリバイくらいは用意してるんだろう」

父は力なく言うと、がっくりとうなだれた。

実際、種子の段階から出荷直前までの蘭のすべてを失い、父は呆然自失の状態だった。おまけに焼失したすべての中には、蘭の愛好家から交配用に借り受けた数々の蘭の原種と、展覧会に出品するために預かり、搬入を待つばかりになっていた、各愛好家の苦心の作品までが含まれていた。組合の理事をしていた父は、愛好家の一人一人が煩雑な手続きを踏まなくてもいいように、まとめて展覧会へ出品する方法を取っていた。それが仇《あだ》になったのだ。

「責任を取りきれるものじゃない」

父は両膝の上で握り拳を震わせ、うなだれたままで呟いた。そして、顔を上げたときには、夏季にしばらくよその土地に行っているようにと言った。

悪い夢を見ているような日々だった。

――何もかも失った。

こんな時に姉が戻ってきてくれればと、何度思ったかしれない。けれど、ついに姉は戻ってきてくれなかった。

東京で暮らしていた姉が、アメリカに行って本格的にミュージカルの勉強をしたがっていることを、夏季は知っていた。両親は反対するにちがいないが、自分は田舎に引っ込んで婿を取るような暮らしは絶対にしたくないと、姉は何度となく熱心に夏季に話したし、夏季も「頑張って」と応援したのだ。まさか、あんなことになるとは思ってもいなかったから、夏季は自分で選んだ人生を歩もうとする姉を心の底から応援するつもりだった。けれど、一家がこんな状態になっているのに、何一つ知らず、手紙を送っても戻ってきてしまうから、住所さえ分からなくなってしまった姉を夏季は恨んだ。

いくら思い出し、あれこれと考えても尽きることがないほどに、夏季の二十代は長く感じられた。

――それが、どういう形で決着がつくのか。三十歳を迎えられるのか、迎えられたとしても、今と同じ状況だったら、私は辛くて耐えられそうにない。

いったい、いつまで逃げ続けなければならないのか。頭の中では同じ問題ばかりがぐるぐると円を描き続けている。

「駄目だわ、これ以上考えてたら、朝になっちゃう」

急いで頭を振ると、夏季は大きく寝返りを打った。もう、三時に近かった。

36

二月二十三日　午後五時半

小田垣は県警の幹部会議に出席した後、捜査本部へ戻るためにハンドルを握っていた。

捜査本部が設置されてから、早くも三カ月が過ぎてしまった。このところ、新たな被害者は出ていないものの、いまだに容疑者さえ浮かび上がってきてはいなかった。

「一日も早い解決を」

「絶対に次の被害者を出してはならない」

会議で言われることはいつも同じことだった。

——そんなことは、十分に承知している。

小田垣は舌打ちをしながら、忌々《いまいま》しい幹部連中の顔を思い浮かべていた。

五人目の被害者を出してはならない。

そんなことは、他の誰よりも小田垣が強く感じていることなのだ。何しろ、自分が作りつつある記録の前を行く人間など、許せるはずがない。もちろん、最初の母の時は別として、後の二人の場合は犯罪の匂いさえさせずに、警察を動かすこともなく敢行したのだから、犯行の完成度としては、こちらの方が数段上を行くことは間違いがないのだが、人数の点では、小田垣の方が負けている。

——まあ、それも、もうすぐ追いつく。

道路は夕方の渋滞のピークだった。前の車のテール・ランプを眺めながらのろのろと進み、少し止まってはまた進む。ドア・ミラーをちらりと見ると、背後からオートバイらしいライトが車の間をすり抜けて走ってくるのが見える。小田垣は、オートバイが近づいてくるのを見計らって、ゆっくりとハンドルを切り、車を幅寄せした。驚いたオートバイは車の直後で急ブレーキをかけ、それから慌ててバランスを保って小田垣の後ろについてくる。

——うるさい、蠅みたいな連中だ。

小田垣はミラー越しにオートバイを見ながら、一人でにやりと笑った。

オートバイに乗る連中の気持ちは分からないではない。賭けは、危険が伴うほど魅力的なものだ。今の小田垣は、オートバイなどという安直な危険ではなく、考えられる中で最も危険な賭けに出ようとしている。正確に針を進める時計のように、頭の中で綿密に働く自分の脳を感じる時、小田垣は生きていることを実感する。

あの女は、自分の立場もわきまえず、小田垣が自分に惹かれ始めているとでも思っているのだろう。蘭の種類ばかりでなく、病気の名前まで覚えてきたり、ご苦労なことだ。

思えば、小田垣の記憶には常に蘭の花が関係している。それは、あの幼い日の、初めての記憶から始まって、すべては蘭に彩られたものだった。あらゆる花の中で最も気高く、最高の品格を持つ蘭が、自分の人生を彩っていると思うと、小田垣はそれだけで満足だった。

そして、今度も何らかの形で、小田垣は自分の欲望を美しい蘭で彩り、新たな感覚を呼び覚ます糧とすることは間違いない。

——自分から仕掛けるのではない。望むのは、常に相手のほうだ。私は、それに応えてやるにすぎない。

「私は常に最高だ。何者か分からないような、変質的な殺人者などとは、比べものにならない」

無意識のうちに笑い声さえ洩らしながら、小田垣は、今度は車の右側から追い越しをかけようとするオートバイのために、いつになく丁寧にハンドルを右に切ってやった。右の車線を進むトラックと小田垣の車の間に挟まれそうになったオートバイは再び慌ててスピードを落とし、二台の車の背後につく。ミラー越しに、ヘルメットのシールドを上げて、ライダーが何か怒鳴っているらしいのが見えたが、小田垣は笑ったままだった。

捜査本部の動きは相変わらずのものだった。刑事たちは独自の捜査方法で何かしら忙しく動き回っている。だが、ここまで捜査が難航してくる間に、彼らと小田垣との軋轢《あつれき》は決定的なものになっていた。もはや、刑事たちは事務的な報告以外は小田垣に対して口を開こうとはしなかったし、小田垣の方でも彼らの細かい行動をチェックしたり、人数の振り分けを行なったりはしなくなった。どうせ、捜査本部を一歩出てしまえば、彼らは小田垣の言うとおりになど行動していないのだ。それを知りながら、笑われるような真似をするつもりは、小田垣にはなかった。

本部に戻ると、大半の刑事たちが揃っていた。誰もが県警本部での会議の結果を気にしているのは一目瞭然だった。この段階にきての会議が、捜査本部の人員を減らすなどの措置についてのものであろうことは、彼らにも容易に察しがつくだろう。小田垣は全員に声をかけ、仕事の手を止めさせた。

「捜査に関わっていない連中は、我々がどんな思いをしているか、具体的に知ることはできない」

全員に向かって小田垣はゆっくりと口を開いた。

「捜査というものは、常にそういうものだと思うが、実際、今回のような事件は特に自分たちがゴール直前にいるのか、果てしなく遠くにいるのかも分からない状態が続く。だが、私は会議で諸君の捜査能力を信じていると言った」

捜査本部の空気がわずかに動いた。

「捜査途中において、メンバーから外れることが、いかに心残りなことかも承知しているつもりだ。これ以上、人員を減らして、その後で事件が急展開を見せたとしても、我々は対処できるかどうか分からない」

若い刑事がわずかに頷く。小田垣はゆっくりと笑みを浮かべ、できる限り視線に力を込めて刑事たちを見回した。

「私は、これ以上人員を減らすことに反対した。このチームで、このメンバーで、一日も早く解決に持っていきたいと思う。それから——」

小田垣は、ちらりと手元の時計を見た。道路が渋滞していたおかげで、もう六時半を回っている。幹部会議に出席していた同僚の顔がちらりと浮かぶ。小田垣と同じように、出世の道をひた走っている吉井という名の同僚は、口の端に冷笑を浮かべ、小田垣の指揮の失敗を早くも決めつけるような発言をした。

「責任はすべて私がとる。諸君は、ほかのことは考えず、捜査に専念してほしい。煩雑な書類云々については、後でどうにでもなることだ」

捜査本部の空気が今度は大きくうねるように動いた。表情を動かした刑事はいなかったが、彼らの瞳のどれにも、これまでになかった表情が現われたのを小田垣は確認した。

「君たちは捜査のプロだ。私がいちいち口出しをする段階はすでに過ぎた。今後、私は君たちが吉報を持ってきてくれるのを辛抱強く待つことにする。頼みの綱は諸君だ」

一番若い刑事が思わず小さく口笛を吹いた。小田垣はゆっくりと笑顔を向けて「頼むよ」と言った。全体の士気が低下しているときには自分が憎まれ役に回り、それでもまだ足りない時、今回のように長丁場にならざるをえない時には、今度は逆に彼らに頼ってみせる。飴《あめ》と鞭《むち》とを使い分けるのが、小田垣のやり方だった。

それに、早晩、事件は解決する。

小田垣がこれまでに関わってきて、解決できなかった事件はなかった。それが小田垣の運の強さだった。だから今回も事件は必ず解決すると小田垣は信じている。彼らが小田垣に対して態度を和らげ、小田垣の言葉に聞く耳を持つようになり、さらに、捜査がまったく進展しなくなったところで、小田垣は初めて渋沢の名を口にしようと考えている。彼らは、藁《わら》をも摑む思いで小田垣の話に耳を傾け、そして、渋沢の周囲のすべてを瞬く間に洗い上げるだろう。

その一方で、今度はそれこそ間違いなく迷宮入りになる事件が起きるのだ。

――そして、今度は奴が捜査本部長になればいい。

小田垣がこの事件に関わっている以上、新たに凶悪事件が起きた場合には、まず間違いなく、あの吉井が捜査本部長になるだろう。そして、彼は経歴に大きな汚点を作る。

「話は以上だ。仕事に戻ってくれ」

最後にそう言うと、捜査本部はにわかに活気を呈して、疲労しきっているはずの刑事たちの表情にも、わずかばかりの輝きが戻ったようだった。

「ああ、景気づけに蕎麦《そば》をとった。出かける諸君は、食ってから行くといい」

小田垣はそう言い残すと、自分はそそくさと立ち上がり、本部室を出た。それすらも、彼らは小田垣の気配りと受け取るだろう。もともと仲間意識が強く、義理人情の大好きな刑事たちは、こういう形でようやくキャリア組の小田垣に対しても仲間意識を抱くようになる。

——単純なものだ。

コートの袖に手を通しながら、小田垣はまだ笑いの余韻を残していた。

今回の事件が解決するよりも前に、新たな難事件を起こすというのは、われながら最高の思いつきだった。

小田垣は笑顔のままで西警察署を後にした。頭が目まぐるしく回転している。新たな快感に向かって、あの炸裂する白い世界を求めて、小田垣は確実に動き始めていた。

入れ違いに入ってきた車に、渋沢の姿が認められたが、もはや捜査に口出ししないと言った以上、小田垣は彼にも興味を抱かなかった。あまり早くこちらが解決してしまっては、吉井の鼻を明かすことができなくなる可能性がある。小田垣の能力が評価された後では、ただ忙しくなるだけのことだ。

——自分で起こした犯罪を捜査するつもりにはなれんしな。

だから、こちらの捜査が進展しないうちに、動き出すことだ。今は、余計なことはすべて排除して、いかに綿密に計画を練るかの方が大切だった。

37

二月二十五日　午後九時半

摩衣子は傾けたグラスの上から上目遣いに小田垣の横顔を見た。いつになく上機嫌に見える小田垣は、珍しく一杯目の酒を飲む時に乾杯の仕草を見せた。

「何か、いいことでもおありになったの？」

小田垣の向こうに座ったママが、身を乗り出して小田垣の顔をのぞき込む。小田垣は一度摩衣子の方をちらりと見て、目元だけで微笑んで見せるとママの方を向いた。

「いや、何もない」

「そうお？　それにしては、ご機嫌に見えますことよ」

「ママが綺麗だからだろう」

摩衣子はおやと思いながら小田垣を見ていた。

彼は本当に機嫌が良さそうだ。彼の口からそんな軽口が聞かれるとは思ってもみなかった。摩衣子は、小田垣という男は冗談を最も嫌い、ましてや人に世辞など言うタイプではないと思っている。

「まあまあ、小田垣さんからお褒めの言葉をいただくなんて、この何年かの間で初めてのことじゃないかしら」

ママは甲高い声で笑い、もう少しで品がなく見えるぎりぎりの線まで、小田垣のグラスに酒を足した。それでも小田垣は穏やかな表情のまま、グラスを持つ指で軽く調子を取りながら流れるジャズに耳を傾けている。

「もしかして、事件が解決した、とか?」

今度は摩衣子が聞いてみた。だが、小田垣は「いいや」と首を振った。余計なことを言って機嫌を損ねてはまずいと思って、摩衣子は慌てて「ごめんなさい」と頭を下げた。だが、小田垣は眉を軽く上げ、肩をすくめて見せて「いいさ」と答えたから、摩衣子はここでも違和感を感じないわけにいかなかった。

「ぴりぴりするのは、やめにしたのさ。うちの捜査陣は優秀だ。遅かれ早かれ事件は解決する。それを、のんびり待つことにした。僕に何ができるわけじゃないからね」

「そうね、そのほうが身体にいいわ」

——ちがう。この人は、のんびり待つなんていうことのできる人じゃない。

摩衣子は、心の中に薄墨を流したように不安が広がっていくのを感じた。小田垣の気持ちが見えてこない。彼は見事に自分をカモフラージュしている。何を考えて、彼はこんなにも生き生きとした表情を見せるのだろう。心の底から愉快そうに瞳を輝かせるのだろうか。

摩衣子は、ママがしつこく小田垣に向かって話しかけ、小田垣がいつになく親切そうにママの話に耳を傾けている間に、目まぐるしく頭を働かせていた。

——彼のこんな表情を見るのは、これが初めてではない気がする。いつ？　いつ、彼のこんな愉快そうな顔を見たの？

摩衣子を自宅の温室に案内した時でさえ、小田垣の表情は多少は和んではいたものの、今のような輝きを見せてはいなかった。やがて、小田垣がママの言葉に声をたてて笑った。その瞬間、電気が流れるように背中を駆け上がる感覚が走った。

「どうしたんだい、今日はずいぶんおとなしいじゃない」

ふいに小田垣がこちらを見たから、摩衣子はわざと口を尖らせて見せた。

「だって、ママとばかり話してるんですもの」

「あらあら、摩衣ちゃんは小田垣さんを独り占めするつもりなの？」

小田垣の向こうからママが顔を出して摩衣子をのぞく。眉を濃く描いて、落ちくぼんで皺だらけの瞼に金粉の混ざったアイシャドウをつけているママは、口も大きくて派手な顔立ちの女だった。そのママが口元だけで笑っていても、目は笑っていないのは一目瞭然だった。

――こんな店とは、もうじきおさらばしてやるんだから。

「ぜーんぜん。そんなつもりはないですってば。でもね、小田垣さん」

摩衣子は甘えた声で小田垣を見上げた。

「全然、気づいてくださらないんだもの。これ、探したのよ」

そう言うと、摩衣子は今夜もシニョンにまとめてある髪に飾っている花を見せた。

「ほう、これはアングレクムの一種だね」

小田垣は「いい匂いだ」と言いながら、摩衣子の髪に飾られている白い花に手を伸ばしているらしかった。摩衣子は背中を向けながら、ママがさも憎らしげに自分を見ていることだろうと思った。

「もう、咲いてるのがあるのか。これは、春から初夏にかけての花だと思ったが」

「蘭って、温度の調節の仕方によって、咲く季節をずらすことができるんですってね」

摩衣子は姿勢を元に戻しながら言うと、髪からアングレクムという名の、一見すると百合にも見えなくはない、不思議な形状の花を抜き取って、いつものように小田垣の背広のポケットに挿した。

「毎回毎回、ご苦労なことでございますことね」

ママが鼻を鳴らして嫌みを言う。摩衣子はママに見えない場所で、小田垣と視線を合わせると、鼻のつけ根に皺を寄せてわざと顔をしかめて見せた。そんな子どもっぽい仕草にも、今夜の小田垣は鷹揚《おうよう》な反応を見せた。

「ママ、彼女はなかなか勉強熱心だとは思わないかい」

「ええ、ええ、本当ですこと。よっぽど小田垣さんに気に入られたいんじゃ、ござんせん？」

ママの言葉に小田垣は再び声を出して笑った。摩衣子も意識してリラックスした笑いを浮かべたつもりだったが、ママの抜け目のない視線に合ってはかなわなかった。

「まあまあ、若い子に嫌みなオバサンだと思われても困るから、私は身を引くことにしますよ。摩衣ちゃん、お顔が引き攣ってるわよ、案外、本気なんじゃないの？」

「ママってば、もう。そういう言い方、やめてよね」

摩衣子はわざと語気を荒らげてママをにらみつけた。ママは刺のある笑い声を上げながら、椅子から滑り降り、馬鹿丁寧な仕草で小田垣に向かって「ごゆっくり」と挨拶をした。

「ママったら、もう。意地悪なんだから」

摩衣子が小さく呟くと、小田垣は軽く声を出して笑い、やはり柔らかい視線で摩衣子を見る。

――この人が、声を出して笑っている。

「しかし、確かに大したものだと思うよ。毎回毎回、そんなに違う花を持ってこられるっていうのは。何か秘密があるんだろう？」

摩衣子は、途端に表情を変えて、ダウン・ライトが映っている小田垣の瞳を笑顔で受け止めた。

「知りたい？」

――彼は、私なんかを受け止めてくれるだろうか。何も聞かずに、受け入れてくれるだろうか。

摩衣子は小田垣の腕に手をかけ、小首を傾げて彼の顔をまじまじと見つめた。

「ああ、大いに知りたいね」

胸が苦しくなる。思わず大きく深呼吸をしたくなる。けれど、摩衣子は息をひそめたまま、なるべく近くまで顔を近づけて、小田垣の瞳をのぞきこんだ。彼の瞳に、摩衣子の顔が映っていた。

「小田垣さんなら、教えてあげてもいいかな」

「秘密の場所かな」

「まあね――ああ、でも考えてみたら、小田垣さんにだけ秘密にしておけばよかったんだわ。ほかの人に知られたって、別にどうってことはないんだもの」

囁《ささや》くように言うと、小田垣の目尻に数本の笑い皺が寄った。

「どうして、僕にだけ秘密に？」

そこで、摩衣子は小田垣から顔を離し、「だって！」と大きな声で言った。

「タネがばれちゃったら、小田垣さんは、もう驚いたり喜んだりしてくださらなくなるじゃない」

小田垣が再び笑った。低く、よく伸びる声で、周囲の空気をゆっくりと揺らすような笑い方だった。

「それでも、大いに知りたいね」

彼の表情は、店に来た時よりも一層輝きを増し、かつて見たことがないくらいに生き生きとしていた。

——笑っている。

「そんなに、知りたい？」

おそらく小田垣は、人に、特に女子どもにからかわれたり、焦らされたりするのが嫌いなはずだった。だが今夜のエリート警察官僚は、余裕たっぷりの表情で、摩衣子の悪戯っぽい瞳を見つめ返してくる。

——なぜ？　何が違うの。

摩衣子は、思わずこちらの方が焦りそうになるのを何とか堪《こら》えながら、十分に時間を稼ごうとした。

「僕を、そこに案内してくれるの」

「案内してあげても、いいけど。でも、もしも――」

「――もしも？」

確実に、彼との距離は縮まっている。それは確かだった。このステップを無事に上がらなければならない。そう思えば思うほど、摩衣子の心臓は高鳴る。

「もしも、案内してあげたら、ごほうびをくださる？」

摩衣子はゆっくりと口を開いた。小田垣はわずかに眉を動かし、少し怪訝そうな表情を見せた後で「ごほうび？」と聞き返してきた。

「何が欲しいんだい」

「――小田垣さん」

カウンターの向こうから、ちらりと木下がこちらを見ているのが分かった。流れている曲は「ラウンド・ミッドナイト」だろう。普段ならば、音楽に調子を合わせて動かしている木下のグラスを磨く手が一瞬止まった。

「そうだなあ、僕か――」

小田垣は大きく息を吸い込みながら、背筋を伸ばして目を数回しばたたいた。

「――だめ？」

心臓はいよいよ激しく動いている。口の中がからからに乾いていた。摩衣子はできるだけゆっくりした動作でグラスに手を伸ばし、香りの高い酒を少しだけ流し込んだ。

「――いいだろう」

やがて、小田垣は口の片方だけを歪めて笑顔を作った。

――彼は、私を受け入れてくれるだろうか。

何度となく繰り返してきた言葉が再び頭の中で渦巻いている。

「私、冗談で言ってるんじゃないのよ――本気、よ」

小田垣は再び前かがみになってカウンターに肘をつくと、グラスを傾けた。

「本気で、結構だ」

「あの――嘘じゃない？」

「職業柄、嘘は嫌いなタチでね」

――決まった！

摩衣子は思わず肩を上下させ、大きなため息をつくと、ようやく顔をほころばせた。小田垣は相変わらず機嫌の良い顔で、何事もなかったかのようにグラスを傾けている。

もう一度うつむいてため息をついた後、ふと顔を上げれば、そこには呆気《あっけ》に取られた表情の木下の顔があった。

「ママには内緒よ、ね、きのちゃん」

摩衣子は木下に向かってあまり上手とは言えないウィンクを送ったあと、小田垣と改めて乾杯をした。

38

二月二十八日　午後七時

小田垣は上機嫌で車のハンドルを握っていた。実を言えば、口笛でも吹きたい気分だった。そうでもしなければ、今すぐにでも気持ちが高ぶり、運転が余計に乱暴になりそうだった。こんな時に、面倒なことになってはまずいから、できる限り慎重にハンドルをさばいているが、実際、今から勃起しそうな気がする。

——七年ぶりだ。

あの、田舎臭い娘、確か三田村夏季といった、あの娘の首を絞めて以来のことだ。あの時、小田垣は燃え上がる炎をだいぶ離れた小高い丘の上から眺め、かつてないほどの興奮を味わった。ハレーションを起こしたように白く炸裂していた頭に、風にあおられて瞬く間に広がる赤い炎がより強烈に刺激を与えた。

——放火魔の気持ちが分からないじゃないな。

あの時の小田垣は、確かにそんなことを考えていたものだ。

彼は、直接、完全には殺さなかった。

当時、小田垣はもう警察官になっていたから、鑑識や検屍の状況もよく分かっていた。たとえ、焼け跡から夏季の遺体が発見されたとしても、解剖すれば彼女が死後炎に包まれたのか、炎に包まれて死亡したのかは、簡単に分かってしまう。だから、小田垣は夏季が意識を失う程度にしか彼女の首を絞めなかった。

本当ならば、完全に息の絶えた雌ブタに向けて射精するのが、何よりの快感を呼ぶのだが、そこは仕方がなかった。それでも、自分の手の平に残った夏季の首の感触は、十分に楽しめるだけのものがあった。あの柔らかさ、そして、気を失って全身の力が抜けた時の、あの重量感。

気を失っている夏季の前で一度射精し、続けて二度目に自慰に耽《ふけ》ろうとした時に、夏季の喉から呻き声が洩れた。

予定よりも早く気づかれてはすべてが台無しになる。小田垣は、今度は夏季の鳩尾《みぞおち》を一発殴って、再び意識を遠のかせた。そして、満足のいくだけの快感を味わい、だらしなくスカートをまくり上げて倒れている雌ブタを残して温室を後にした。

——あの時も、温室に誘ったのは女の方だった。展示会に出品するために、珍しい蘭が揃っているからと。

その純朴な愚かさは、今思い出しても笑いたくなるほどだった。身体中のすべてが丸い部品でできているような、全身に躍動するエネルギーを満たした娘は、大方、夜更けの温室で、熱い恋心でも語れることを夢見ていたのだろう。

——そして、今回も温室か。

だが、今回は死体を運ぶ必要がある。何しろ、摩衣子が小田垣を誘っていたことは、あのバーテンダーが聞いていたのだし、今夜逢うことになっているのは、秘密にしておくようにと摩衣子に言い聞かせはしたが、温室で死んだことになれば、疑われる余地は十分すぎるほどにある。

第一、摩衣子が言っていた温室は、東京の外れに位置していた。そこで事件が起きたとしても、同僚の吉井を動かすことはできない。つまり、吉井が動かなければならない場所に死体を運び、事件として発覚させなければならないのだ。

「藤崎、摩衣子、か。ごたいそうな名前だ」

小田垣は、順調に車を飛ばしながら、摩衣子が指定してきた温室に急いだ。小田垣の性格からして、約束の時間に遅れるのは本意ではない。たとえ、相手がもうすぐ自分の手にかかる雌ブタであろうとも、だ。

摩衣子が指定してきた温室は、すぐに見つかった。古い、道幅の狭い街道からラブ・ホテルの看板とジュースの自動販売機を目印に、車が一台通るのがやっとという路地を入ると「三沢園芸」という看板がライトに浮かび上がってきた。そこは、摩衣子が説明したとおり、街道を通る車の音さえ聞こえてこないような、雑木林の中だった。

温室は、雑木や大きな庭石に囲まれて、ひっそりとしていた。葉の落ちた雑木の向こうにちらちらと見えるピンクのネオンは、どうやらラブ・ホテルのものらしい。

造園業者に頼みこんで、鍵を借りておくからと言った摩衣子の言葉は嘘ではなかったらしい。外から見ても、温室の中がぼんやりと明るいのが分かる。小田垣は静かに温室に歩み寄ると、綿密に練り上げた計画を頭の中でもう一度反復し、それから入口に手をかけた。

いよいよ、久しぶりの賭けが始まる。

「――誰か、いますか」

小田垣が声をかけると、一つの影が動き、薄明かりの中で白い顔がこちらを向いた。同時に、強烈なライトが顔を照らし、小田垣は一瞬目がくらんで歩みを止めなければならなかった。

「ああ――小田垣です」

「来てくださったんですね」

ライトの向こうから、摩衣子の声がする。小田垣は片手を顔の前に掲げながら、摩衣子の姿を確かめようとした。だが、ライトの光が強すぎて何も見えない。

「すごい歓迎の仕方だね。こんな暗いところに女性が一人で来るんだから、いい心がけですよ」

小田垣は温室の入口を後ろ手で閉めながら、おとなしく立っていた。相手が挑戦的な態度に出ているのが本能的に感じられる。こともあろうに、この小田垣が欲しいとほざいた女が、緊張のあまり、わざと挑戦的になっているのが分かる。

「ええ、だって、これを消すと、あとは本当に暗くなっちゃうんですもの」

摩衣子の声をこんなに遠くから聞いたのは、初めてのことだった。小田垣は笑いながら、しばらくは雌ブタが最後に動き回るのを許そうと思った。

「でも、私の顔を照らすのは、勘弁してもらえないかな」

「あ、失礼」

ふいにライトが逸《そ》らされた。今度は目の前が真っ暗になって、小田垣はしばらくの間立ち往生をしていた。

「迷いませんでした？」

視力が戻るのを待っていると、いつの間にか耳元で声がした。小田垣は何度も瞬きを繰り返しながら、声のする方を見た。まだぼんやりとしている視界の中で笑っている女がいる。

「あ――あなた」

そこに立っていたのは、普段「バー・マリエ」にいる摩衣子とは別人のような女だった。ほとんど化粧気のない顔に、髪は肩の辺りまで長く伸びている。

「摩衣子です」

次第に輪郭がはっきりしてきた女は、小首を傾げ、目を細めて笑う。

「休みの日は、こんななんです」

「ああ――ええと――またずいぶん、雰囲気が違うんだな」

これが雌ブタの正体だ。こいつらは皆自分の本能のために、男をおびき寄せるために、化粧をしたり服を替えたり、ありとあらゆる手段を使う。

「お店にいる時の私の方がいいかしら」

「いや、自然な方がいいですよ」

摩衣子は喉の奥を鳴らしてくっくっと笑った。

「ごほうびをいただくんだと思うと、何だか緊張しちゃってるんです」

「ははは、そんなに大げさに考えない方がいいでしょう。まずは、花を見せていただきたいな」

「今、何時ですか?」

「七時、三十五分です」

「ありがとう」

摩衣子はそう言うと、小田垣の腕に手を絡ませてきた。

「さあ、私の秘密の場所をご案内します」

——雌ブタめ、雌ブタめ！

小田垣は腕を振りほどきたい衝動を笑顔で押し込めながら、摩衣子に誘われてゆっくりと歩き出した。

「ほう——これは、これは」

それは、小田垣の目で見ても見事な出来映えの蘭が並ぶ温室だった。これだけ多種にわたって揃っている場所は、そうそうは見つからないだろう。

「ね？　すごいでしょう」

摩衣子は自然に小田垣から腕を放し、ゆっくりと歩き回り始める。目障りではあったが、小田垣はまずは花々を観賞することにした。

「こんな近くに、これだけ揃っている場所があるとはねえ」

ひとつひとつの鉢を丹念に観賞した後で小田垣が呟くと、摩衣子は再び喉を鳴らして笑った。

「近くなんて。案外遠いじゃありませんか」

「まあね。でも、車でならばすぐですよ」

「――まあ、そうですね」

摩衣子は、温室の中をぐるぐると歩き回っている。小田垣は、ちょうどセロジネという名の蘭に気を取られていた。それは以前、手に入れようとしたことがあるシンジュクという名をつけられた花だった。

「シンジュク・ナンバー7ですね」

「ああ、これも覚えたんですか」

「小田垣さん、それを欲しがってらしたわ」

背を屈《かが》めて花に顔を近づけようとしていた小田垣は、その言葉にぴくりと動作を止めた。摩衣子は、小田垣とはちょうど対角線を引いた温室の反対側の、ちょうど小田垣が入ってきた温室の入口の前に立っていた。

「でも、それも一緒に燃やしてしまったんですものね」

「――!」

小田垣が背を伸ばした途端、摩衣子は再び小田垣の顔を狙ってライトを当ててきた。

「そんなにお好きなのに、何もかも、燃やしてしまったんだわ」

「――君」

小田垣の頭脳はかつてない方向に回転を始めていた。これは、どういうことだ。摩衣子は、摩衣子というのは。

「七年もあれば、女は簡単に変わります」

摩衣子の声が徐々に近づいてくるのが分かる。だが、ライトは小田垣の顔を狙い続けている。

「私、そんなに変わりました？」

「――そんなはずはない」

「しばらくは首から痣《あざ》が消えなかった。あんな田舎でと馬鹿にされるかもしれませんけど、うちの父にだって、新聞社に勤める友人くらいはいました。もともと地元出身の警察の人にだって」

「――そんな馬鹿な！」

摩衣子の声はどんどんと近づいてくる。小田垣はできるだけ目を細め、ライトの当たっていないところを見つめていた。

「私は、死んでなんかいないわ。私は、三田村夏季です」

小田垣は目まぐるしく頭を働かせた。あの、白い肉の塊りのようだった娘と、バーで小田垣に媚びた視線を送ってきた女が同一人物だと？　だが、そうでなければ、なぜ小田垣の過去を知っているのか。

「あなたは、すっかり私を忘れていたわ。私はあなたを試すつもりで、わざとあなたの前に現われたのに。何度も、何度もあなたの顔をのぞき込み『どこかでお逢いしました？』とまで聞いたのに！　私の人生を台無しにして、家も両親も、すべてを奪ったあなたを、私が忘れるはずがないじゃないですか！」

光の中を、一際鋭く光るものが流れた。小田垣は、素早く手を伸ばし、振り降ろされてきたナイフの柄を、いともたやすく摩衣子の手首と一緒に握った。

「摩衣子――夏季だ」

小田垣は、その時になって、初めてまじまじと摩衣子の顔を見た。髪型も輪郭も、すっかり違っている。だが、そう言われてみれば、面影がないはずがなかった。

「なるほどな。女なんて、どれも同じだと思っているからね、そんなにじっくりと見てやしなかった」

小田垣は、摩衣子の手からナイフを捻り取りながら囁いた。新たな興奮が湧き起こってくる。相手が抵抗すればするほど、小田垣の中には白い光が広がっていく。

「夏季さんか――よく生きていたね」

夏季は、小田垣に手首を捻り上げられたまま、小田垣の顔に唾《つば》を吐きかけた。

「運の悪い子だ。私はね、決して自分から人をおびき寄せたりしない。相手がそれを望むと思うから、言うとおりにしてあげているだけなんだよ」

小田垣は、恐怖に引き攣った夏季の顔をまじまじと見て笑った。すでに勃起している。

「さあ、あなたが望んでいたごほうびをあげますよ。一度ならず、二度までも私に殺されるなんて、あなたが初めてだ」

「また、同じことをするつもりなのっ！」

夏季は喘《あえ》ぎながら必死で声を上げる。哀れな女は、こうやって虐められると喜ぶものだ。ほうら、夏季の目が潤んでいる。痛い思いをさせてくれと、夏季の目が訴えているではないか。

「私の方の計算を変えなきゃならないかな。せっかく、四人目の犠牲者が出ると思っていたのに」

小田垣は、片手を夏季の首に伸ばした。

「ずいぶん、瘦せたみたいだね、夏季さん。今は片手で十分かな」

小田垣の手の中で、夏季の口からシュウッというような音が洩れた。

その時だった、なにものかが、新たなライトを小田垣の顔に向けた。

「誰かいるのかっ！」

思わず叫んだ小田垣は、温室の入口から次々と知っている顔が現われるのを見た。そのうちの二人が、温室の片隅にいた若い男に向かって駆け寄っている。そして他の刑事たちがいっせいに小田垣に向かって走ってきた。

「君たちは、こんなところで何をしているんだ！」

小田垣は、部下たちに向かって怒鳴った。真っ先に歩み寄ってきた安田捜査一課長が、冷ややかに小田垣を見つめた。

「小田垣部長、そうおっしゃる前に、その手をお放しなさい」

39

「ずいぶん、痩せたみたいだね、夏季さん。今は片手で十分かな」

小田垣の生温かい手が伸びてきて、夏季は湿った手の感触を首筋に感じた。その途端、頭の中が空白になり、次に、猛スピードで時が遡《さかのぼ》る感覚が夏季の中で渦巻いた。

——これで、終わるの？　再び、この男の手に首を絞められて、今度こそ、終わるんだろうか。

何もかも、考えたとおりにはいかなかった。

二十歳を過ぎたばかりのあの時も、夏季は自分の未来に何の不安も抱かないまま、ただひたすらに小田垣を恋しく思ううちに、こうして首を絞められた。その後、どれほど自分の愚かさを呪ったことだろうか。

理由など、何も分からなかった。彼に殺意を抱かれる理由など、いくら考えても思い浮かんではこなかったのだ。けれど、現実は動かしがたいほどに残酷に、夏季のみならず、家族全員の運命を変えてしまった。そしてまた、今度も夏季の思いどおりには、ことは運ばなかったらしい。

――せめて、もう一度、会いたかった。

遠のく意識の中で、時が一度逆流し、そして、再びあの事件からの歴史が渦巻く。目を開けば、あの男が異常な悦《よろこ》びに瞳を輝かせていることだろう。だが、夏季は違う顔を見ていた。なかなか笑わないくせに、やっと笑ったかと思うと、奇妙に怒ったようになってしまう、あの、彼の笑顔。

――本当よ。もう一度、会いたかった。

目尻から涙が伝って落ちるのが分かった。彼に会ったら、何と言って謝ろう、彼に会ったら、最初にどんな顔をすれば良いだろう。そんなことばかり考えていた。けれど、思いどおりにはいかないものだ。きっと、うまくいくと思っていたのに、タロット・カードでだって、そういう未来が占われていたのに。

「誰かいるのか！」

耳元で大きな声が響いた。だが、夏季はもう何も考えられなくなっていた。

彼に何と言ったら良いのだろう。謝るべきか、感謝するべきかも分からない。けれど、これで両親に会えると思えば、諦めもつく。彼もいつかは夏季のことなど忘れてしまうにちがいないのだ。

口中に溜まった唾液《だえき》すら飲み込めず、あまりの苦しさに、遠のきかかっていた意識がわずかに戻り、思わず薄く目を開けた時、夏季はそこに、何だか分からないけれど、とにかく大勢の人が溢れ、口々に何かを怒鳴っているのを見た。そのまま、何も分からなくなった。

やがて、ふいに喉に圧迫が感じられなくなったと思った瞬間、夏季は地面に崩れ落ちて激しく咳《せ》きこんだ。

――苦しい。苦しいわ。まだ生きているみたいに、苦しい。

激しく咳きこみながら、夏季は自分の頬が涙で濡れているのに気づいた。首を絞められながら流れた涙が、今も頬を濡らしている。

「夏季さん！」

さらに激しく咳きこみながら、夏季は手の平に土の感触を味わっていた。とても死んだとは思えない、確かな、ひんやりとした感触。

――怖い。怖い！

もう何も考えられなかった。ただ、異常なくらいに身体が震えているのが分かる。怒号が飛び、人の足音とライトが散乱する中で、夏季は自分がまだ生きていることを感じるだけで精一杯だった。

えられた。

「夏季さん！」

その時、はっきりと自分の名を呼ぶ声がして、夏季は同時にしっかりと肩を抱きかか
えられた。

「もう大丈夫だ、大丈夫だよ！」

なぜだか、急に眠いような気がした。ゆっくりと、何も心配せずに眠りたいと思った。

「しっかりするんだ！　夏季さん、僕が分かるか！」

やっとの思いで顔を上げると、そこには渋沢のすっかり慌てた顔があった。

「航、さん――？」

「け、怪我は？　ど、どこも、何ともないか？　痛いところは？　全部、ちゃんと動く
のか？」

夏季はぼんやりとしながら航を見上げた。

――どうして、どうして、彼がいるの。

まだ、頭がぼんやりしていた。それなのに、視界がみるみるうちに歪んでいく。夏季
は肩を抱きかかえられたまま、すっかり血の気を失っている航の顔を見上げた。

「やっと、見つけた。やっと、捕まえた」

航の声が震えて聞こえた。

「あいつよ、あいつなの。どうしても、どうしても――」

「もう心配いらない。彼は、現行犯で捕まったよ」

「あいつが、私の首を絞めたの。火をつけて、お父さんやお母さんや――」

「話は後でゆっくり聞くから」

夏季は頭を抱きかかえられ、その声を航の胸の中で聞いた。よく分からないままだけれど、とにかく、果てしなく張りつめ続けていた緊張の糸が、今ようやく切れるのだと感じていた。

――彼は、私を受け入れてくれるだろうか。

この数カ月の間、幾度となく繰り返してきた問いが、こんな時になっても頭の中で渦巻いている。その思いだけで、この数カ月を過ごしてきたのだ。

――けれど、今は何も考えたくない。せめて、今この時だけでも、安心して眠りたい。

夏季は止めようもなく溢れ出てくる涙を拭うことも忘れて、航の胸に顔を埋《うず》めたまま、彼の温もりを感じていた。渋沢航に肩を抱かれ、ようやく立ち上がった時、夏季の視界には、ちょうど、温室の入口近くで、一人の青年が刑事らしい男に取り押えられているのが入った。

「何を言い訳しても無駄なんだよ。渋沢先生が、おまえのDNAまで調べたんだ」

「沼田光彦、殺人容疑で逮捕する」

ライトに照らされて、白い紙が大きく開かれて青年の前に差し出された。夏季は、自分の中で何かが弾け飛ぶ音を聞いたと思った。

エピローグ

四角い、ぺらぺらとした紙が差し出される。

夏季は、そこに丁寧に文字を書き込み始めた。じっと夏季の手元を見ていた区役所の職員が「ここと、ここに印鑑を」と指で説明する。

「あ、いけない」

「ああ、ドジだなあ。じゃあ、線を引いて、訂正印を押すんだぞ」

「なぁに、自分だって、さんざん間違えたくせに」

夏季は、隣の航を見て口を尖らせた。

「ええと、線を引いて——」

夏季は、まるで長い夢から醒《さ》めて、再び深い夢の中に誘い込まれるような感覚のままで、区役所の静寂を感じていた。本当ならば、これはもっと前に感じていたものなのかもしれない。けれど、もしかしたら、絶対に味わうことのできなかった空気なのかもしれないのだ。

夏季は、航との結婚式の衣装合わせの日に見たのだ。あまりにも偶然に、式場の外に車を止めて、あの小田垣が降り立つのを。

あの事故の後、母は結局意識を取り戻すことなく、亡くなってしまった。その忌まわしい記憶を消すためにも、それから損害賠償金を支払い、借金その他の清算をするためにも、すべての財産を売り払い、父と夏季は神奈川の同業者を頼って引っ越すことにした。だが、それから二年後に今度は父が亡くなった。相当以前から心臓に疾患があったらしいということは、後になってから分かったことだった。夏季が留守にしている間に、父は一人でひっそりと死んでしまったのだった。

自宅で誰にも看取られることなく倒れていた父は、変死扱いとなり、夏季がいくら泣いて「やめてくれ」と頼んでも、解剖しなければならないことになった。その時助手として加わっていたのが、渋沢航だった。

すべてに絶望的になっていた夏季に対して、いかにもぼくとつとした雰囲気の持ち主の航は、言葉少なく、だが辛抱強く、少しずつ夏季の心を開いていった。

「亡くなってからまで、どうしてそんな辛い目に遭わせなければならないんです！」

夏季は泣きながら監察医に喰ってかかった。だが彼は夏季から視線を外すことなく、ゆっくりとした口調で言った。

「亡くなった方の、最期の無念な思いだけでも、きちんと理解して差し上げるのが、本当だと思います。訳も分からないままに亡くなったのでは、ご本人だって納得できないかもしれないじゃないですか」

特に晩年になってから、無念な涙を流すことばかり多かった父の一生を思えば、夏季は彼の言葉を受け入れるよりほかになかった。それが航とつき合うようになった、きっかけだった。

「あ、あれ？」

「あ、また失敗かよ。どうしよう、綺麗に書き直そうか」

「駄目よ、保証人まで書き直さなきゃならなくなるもの」

「じゃあ、どうするんだよ、もう。ああ、きったねえなあ」

区役所の職員は、苦笑しながら「門出ですしねぇ」と言って新しい婚姻届の用紙を出してくれる。

「いいんです。最初から失敗続きの方が、似合ってるかもしれないから」

航は悪戯っぽい口調で、真っ白い婚姻届を押し返した。

——ああ、この人と、これから一緒に生きるんだ。

夏季のかたくなな心を溶かしたのは、優しい言葉とか、プレゼントの類《たぐ》いなどではなかった。

決して自分からは心を開こうとしない夏季の言葉を待つ航の根気と、強《し》いて言うならば、夏季がかつて恋をして、取り返しのつかないほどに運命を狂わされることになった小田垣省史とは、あまりにも対照的な素朴な人柄とが、氷のように固く閉ざされてしまっていた夏季の心を、少しずつ溶かしていったのだ。

夏季の過去を、航は決して深く聞こうとはしなかった。夏季がぽつり、ぽつりと語る時には、黙ってそれを聞き、それ以上は深く追求しようとしない。

航とならば、新しい人生を歩めるかもしれない、そう思いながらもふんぎれない状態が、何年も続いた。

「あなたは、何も知らないのに」

「必要のないことは、いいじゃないか」

父が亡くなるまでの様々ないきさつも、純粋な思いで憧れていた男に殺されかけ、そこから一家の人生をめちゃくちゃにしてしまったことなども、夏季は航にほとんど何も話してはいなかった。それは、彼に対する自分のずるさではないかと、何度考えたか分からない。

「私、言えないことがたくさんあるのよ」

「嘘を吐《つ》かれるより、ましさ」

そんな会話を嫌というほど繰り返し、それでも航の態度は変わらなかった。

――もしかしたら、今度こそ幸福になれるかもしれない。

何もなかったことには出来ないけれど、それでも、時とともに、自分の歴史の中に埋め込んでいかれるものなのかもしれないと思い、ようやく気持ちが固まった矢先、夏季は小田垣の姿を見てしまった。それは渋沢航との、生涯に一度と思えるウェディング・ドレスの試着をしようとしていた矢先だった。

忘れようにも忘れられない小田垣の姿を見た時、夏季の頭は一瞬のうちに空白になった。そして、次の瞬間には、それまで考えてもいなかった思いが、心の中に噴き上がった。今、こうして手にしようとしている幸福のすべてをなげうってでも、彼に復讐しなければならないと、そう考えた時にはもう走り出していた。

あのような男を野放しにしてはならないと、その思いばかりで突っ走った。小田垣が無事に暮らしている以上は、夏季は絶対に幸福にはなれないのだと言い聞かせながら。

計画は概して成功したと言える。

夏季は幾日も小田垣の跡をつけ回し、彼の私生活を探った。そして、今も独身でいる小田垣が、真面目なばかりの生活を続けながらも、唯一の楽しみとして、街はずれのバーで息抜きする日があることを知った。

かつて、田舎町の青臭い警察署長として赴任してきた彼は、今や県警きってのエリートと目されている存在にのし上がっていた。彼には、ほかには何一つとして切り崩せるだけの弱みがなかった。

夏季は何度となく鏡に向かい、大きな賭けに出るべきかどうかをはかった。昔のアルバムと見比べても、明らかに変わってしまっている自分に向かって、渋沢から逃げ出した夏季は同じ質問を何度も繰り返した。

——本当に、彼の前に現われる勇気があるの。

けれど、夏季は摩衣子と名を変えて、再び小田垣の前に立ったのだ。そして小田垣は、夏季に気づかなかった。彼は顔色一つ変えることなく、夏季を未知の女「摩衣子」として受け入れた。

それからは夏季は、摩衣子というもう一つの名前を抱え込み、寸時も休むことのできない日々を過ごすことになった。何も知らないままに、衣装合わせの部屋に取り残された航が執拗に自分を追い求めて、結果的に夏季の職場を奪い、住む家を換えさせなければならないことを、嬉しくも、悲しくも感じながら、ただひたすらに小田垣を捉《とら》えることだけを考えて過ごしたのだ。

もう二度と、自分は平凡な幸福など追い求めてはいけないのだと、自分に言い聞かせて過ごすよりほかはなかった。

たった一つ、計算違いをしていたのは、ほかに知り合いもいない夏季が、目撃者になってもらうために選んだ男が、実は山崎などという名前ではなく、沼田という名の、航の研究室のアルバイトをしていた学生だったということだ。

もしかしたら、今度こそ生命を落とすことになるかもしれない、そう考えた夏季は、たとえ、自分の生命と引き換えにでも小田垣にだけは制裁を加えたかった。

そのためには、小田垣の犯罪を見届ける人が、どうしても必要だったのだ。だから夏季は沼田に、小田垣に対して指定した時刻よりも三十分時間をずらして温室に来るように、そして万が一来客でもあった場合には、その客が帰るまで待っていてくれるように頼んだ。その山崎、いや沼田が殺人犯だなどとは思いもよらなかった。夏季は、どちらにしてもその日、命がけの行為に出ていたことになる。結果的には、沼田を追って来た警察のおかげで夏季は一命をとりとめたことになるのだが、それは何とも皮肉な結果だった。

「そういう意味では、小田垣の勘も当たらずといえども遠からずだったんだ」

後で航はそう説明をした。

小田垣は、犯人は案外身近なところにいるはずだと考えていたらしい。だが、見当違いなことに、彼は真犯人を目の前にしながら、沼田の存在は目に入らず、航にばかり関心を注いだ。夏季を探して町中をさまよう航を尾行したり、アリバイを調べたりしていたのを、捜査陣はまったく知らなかったという話だ。

一方で、航は犯人が現場に残した煙草の吸い殻が、案外珍しい銘柄であることと、その消し方の癖が奇妙に心に引っかかり、独自に検査をしていた。そして、その結果、吸い殻から検出された唾液のＤＮＡが、アルバイトの沼田のものと同じだったことまでもつきとめた。

疑惑を抱いたのは、吸い殻を見てすぐのことだったらしい。けれど、自分の教え子を疑いたくはない一心で、航は苦しみながら検査を続けたという。その前の血液型の検査の段階で、航は沼田が有力な容疑者としての条件を備えていることを確認した。何しろ、煙草を消す癖が、犯人の遺留品の癖と一致しているのだ。だが、それでも航は諦めなかった。そして、検査を続けたその結果は、ますます沼田が犯人であることを告げていた。

その段階で、すぐに逮捕することもできたのだが、航からその情報を得た捜査陣は、航の研究室の通話記録及び沼田のアパートの電話の通話記録もすべて迅速に調べ上げた。そして、もう逃げようもない状況まで証拠を揃えてから、逮捕状を取ったというわけだ。

「あいつを尾行しててよかったよな」

「でも、目の前で人が殺されかけていたら、彼だって思わず助けたかもしれないわ」

「そう思いたいのは、やまやまだがね、警察に通報してくれたとは思えないさ」

「そうだけど――」

初め、夏季は信じられない思いでことの真相を聞いた。

夜更けの電話で、いつも柔らかい話し方をし、朗らかで優しかった、あの青年が本当は連続殺人犯だったとは。

彼は、いつもあの声とあの話し方とで、相手の出方に合わせながら、被害に遭った女性たちをおびき寄せていたのかもしれない。自宅の留守番電話のテープをわざと「山崎」にしておくことで、夏季を完全に信用させることができたのも、彼の知恵にちがいなかった。警察の取り調べに対して、沼田は「今回に限って会話に時間をかけたのがまずかった。それまでは、いつも一度だけの会話で成功していたのに」と答えたという。

「もう、僕の嫁さんになったからには、勝手な行動は絶対に許さないからな」

失敗に失敗を重ねて、ほかにないだろうと思えるくらいの汚れた婚姻届を書き、それをしびれを切らしていた職員に提出すると、夏季は航と並んで区役所を出た。

外見は非常に愛想が悪く、いつも不機嫌に見えるこの男が、唯《ただ》ひとり、夏季のかじかんだ心を開いてくれた相手だった。彼の、怒ったような不器用な笑顔、ぶっきらぼうな話し方、不潔に見える頭を掻く仕草、それらのすべてを思いながら、夏季は長く続けられない花屋で花束を作り、一方で摩衣子と名を変えて、酔っぱらいの客や自分とは無縁と思える嫌みなママとつき合った。

航が、夏季を追い続けていると分かっていたから、彼が、今も夏季を探し求めてくれているると分かっていたから、夏季はそれらの日々を過ごすことができたのにちがいない。捕まってなるものかと思いながら、心の底では、いつでも航に捕まえてもらいたいと願っていた。

そんなことを考えながらも、夏季は航から逃げている間じゅう、職場の人間が航に対して抱いた感想を思い出して笑ってしまった。

「——なに」

「航さん、ねえ。もう少し、ね、愛想よくしたら？」

「男はね、にやにやしないものなの」

「でも、むっとして歩くことなんかないでしょう？」

「むっとなんか、してないさ。これが、もともとなんだ」

「変な顔」

「悪かったね」

もう、彼に隠すことは、何もなかった。悲しみはそのままで残っているけれど、新しい喜びを得たことを、父も母も喜んでくれているにちがいない。

——お父さんとは、まんざら知らない仲じゃないんだものね。お母さんに、ちゃんと話しておいてくれるわね。

二人で軽口を叩きながら、手をつないで新居に戻ると、故郷の妙子から大きな封筒が届いていた。

「お祝い、かな？」

夏季は「どうせ、変な顔ですよ」と、まだ悪態をついている航の声を聞き、くすくすと笑いながら封筒を開いた。その途端、思わず、声にならない叫び声が出てしまった。

「な、何、どうしたっ！」

リビングに腰掛けて、テレビのスイッチを入れたところだった航が飛び上がって走ってくる。夏季は飛び跳ねながら、エア・メールの封筒を振って見せた。

「お姉ちゃんからよ！　ニューヨークから、お姉ちゃんから、手紙が来た！」

もう二度と会えないかもしれない、親が死んだことすら知らせることも出来ず、好き勝手な人生を歩んでいる姉のことなど、もう忘れなければいけないかもしれないと思い始めていた夏季にとって、それは何よりの結婚祝いだった。

「何だって？　元気だって？」

航は穏やかな表情で隣から夏季の手元の封筒を見ている。

「怖いみたいだわ、何て書いてあるのか」

夏季が笑顔で航を見上げたとき、玄関のチャイムが鳴った。

「ああ、いいよ。僕が出る」

航は夏季の肩をぽんぽんと叩くと、玄関に向かった。

≪ただ今入りましたニュースです。

　先月二十八日、殺人未遂の現行犯で緊急逮捕され、今月十日に起訴された、元神奈川県警の小田垣省史被告が、昨晩自殺を図り、横浜市内の病院に運ばれましたが、その後、警備の警察官二名を刺して、病院から逃走した模様です。小田垣被告は、警察官から拳銃を奪っており、現在のところ、逃走先は分かっておりません。警察では、住民の皆さんに厳重な注意を呼びかける一方で、警察官三百人を動員して、小田垣容疑者の行方を追っています。刺された警察官のうち一名は死亡、もう一名も重体です。繰り返してお伝えいたします。現職の警察幹部の犯罪としては、史上希《まれ》に見る凶悪犯罪として――≫

解説　「花の中の種子」をのぞき見る恐怖

谷崎　光

物語の断片が、ガラスのかけらのように、心の中に降ってくる。

それらが危ういバランスで積み重なり、暗闇に立体的な形を成していき（ときおり映り込むのは、美しい蘭の花や温室ごしの柔らかな日差し、そこでの壮絶な事件）、後半、一気に音を立てて砕け散る。

女なんて、みんな同じだ、と何度もつぶやく男。

女そのものの、無数の蘭の花。

ページをめくる瞬間、強い衝撃を受け、ようやく飛び散ったガラスの、その元の姿を見たかと思ったら、最後にまた飛んできた破片でグサリと心を刺される。

私は、このミステリーをそんな風に読んだ。

だからこの作品について著者が述べた「読みすすめるうちに頭がくらくらとしてくるような物を書きたい……混乱ではなく、眩惑《げんわく》という意味での」「絡み合い、もつれあって炸裂する瞬間、日常の生活から切り離されて、脳が空間を浮遊するような……成功していれば良いのですが」と、いう目論みは、もちろん成功しているし、というよりは、すべてがその「くらくら」のために奉仕されている、と言っていいのかもしれない。

いったい人は、どんなとき、「くらくら」するのだろうか。

今まで疑いなく信じていたことが、すべて覆された時。あると思っていたものが、実はすべて失われていたと知った時。そして、追い、追われることの恐怖。

読み終わり、私はかなり真剣に「ごく普通の、見知らぬ人々」が怖くなってしまった。今は、本当に普通の人の定義が難しい。

人間を何通りかに分けている人も多いけれど、たとえば一種の花がその中でまた何百種類もあるように、一人の人間が皆、その内部に様々な色を持っている。そして、ある人の中では、その一つが内部で蠢《うごめ》き育つ。

それは、一般的にいえば、もっとも血の通わない残虐な感情に違いない。だが、その行為が人間のすべての行為の中で、他の何よりも自分の生を確認させるものだとは、実に皮肉な話だ。

膨らみ、弾け、ほとばしる。

生命が一つ消える瞬間に、こちらは己れの生命の最高に輝く瞬間を迎える。

（本文より）

人を殺す気持ち、というのはもちろん私にはわからない。ただ、人の心には愛や平和を求める気持ちと共に、どうしようもない残忍さ、狩猟時代の本能のような攻撃性、極度のスリルやサスペンスを求める気持ち、地獄絵図をも出現させてしまう種子もあることは理解できる。

たぶん、どんなに崇高にもどんなに残虐にもなることができるのが、人間という動物の本性なのだろう。そして殺人は、究極のくらくらなのかもしれない。

声が聞こえてくるようなモノローグで語られる犯人の内面は、人の中に殺意や敵意、憎悪が育ち、炸裂するまでが非常にリアルだ。犯罪も怖いが、それが期成される人の内面が、私は一番怖い。

定評ある迫真の心理描写に加えて、私はこの作品が九二年に書かれたことに、乃南さんの先見の明と、人々の心の奥を摑むカンの良さを感じる。

日本で快楽殺人のテーマが多く取り上げられ始めたのは概ね九五年前後で、本作品で繰り返し語られる女性への強い憎悪も、今、現実の水面下で増えている気がする。

一歩間違えば、グロテスクにもなりうるテーマなのだけれど、読者に不快感をもたせず、「くらくら」を充分に堪能させ、むしろ緻密な構成に硬質な美しさを感じさせるのは、女性らしい華やかなディティールや繊細な心理描写と、男性的な大胆さや抑制の効いたシーンが、緩急をつけた波のように展開していくからだろうか。

緊迫したストーリーの中で、刑事の小田垣とホステスの摩衣子が交わす、

「こっちの愛情が素直に花を咲かせないのが、女だ」

「花の咲く女もあるわ」

の会話も、どこかほっと息が抜けて、楽しい。

が、やはりこの作品の一番の魅力は、単に事件だけではなく、ごく普通に見えるある人間の奥底が、真実味を持って描かれているところだと、私は感じた。

直木賞受賞の『凍える牙』での、男女両方の内面を非常にフェアに描く視点から感じる、乃南さんの一種、両性具有というよりは、自分でないものの内面を描き切る力は、この作品でもいかんなく発揮されている。「彼」を描くことが、すなわちくらくらでもあり、ストーリーのくらくらと相俟って、読者の頭は「炸裂」しカタルシスを得る。

ミステリーを多く書かれる著者だけれど、きっと事件は描きたい人間を描く、一つのツールでもあるのではないかと思う。

犯罪は人間と、取り巻く時代がもっとも映し出されるものでもあるのだから。

乃南さんが次に書くことは、私達の未来かもしれない。

怖いものみたさと、人の真実が知りたくて、私は乃南さんの次作を心待ちにしている。

（ノンフィクション作家）

単行本　一九九二年二月　カッパ・ノベルス（光文社）刊

文春文庫

紫蘭《むらさきらん》の花嫁《はなよめ》

定価はカバーに表示してあります

2000年11月10日　第1刷
2018年7月15日　第21刷

著　者　乃南《のなみ》アサ
発行者　花田朋子
発行所　株式会社　文藝春秋

東京都千代田区紀尾井町 3-23　〒102-8008
TEL 03・3265・1211㈹
文藝春秋ホームページ　http://www.bunshun.co.jp

落丁、乱丁本は、お手数ですが小社製作部宛お送り下さい。送料小社負担でお取替致します。

印刷・凸版印刷　製本・加藤製本

Printed in Japan
ISBN978-4-16-765201-2